VERDI/SIMON BOCCANEGRA

Opera completa per canto e pianoforte

Giuseppe Verdi

SIMON BOCCANEGRA

Melodramma in un prologo e tre atti

Libretto di Francesco Maria Piave e Arrigo Boito

Prima rappresentazione:
Venezia, Teatro La Fenice, 12 Marzo 1857

A cura di Mario Parenti (1963)

RICORDI

Personaggi

PROLOGO

SIMON BOCCANEGRA, corsaro al servizio della Repubblica genovese. *Baritono*

JACOPO FIESCO, nobile genovese. *Basso*

PAOLO ALBIANI, filatore d'oro genovese. *Basso*

PIETRO, popolano di Genova. *Baritono*

Marinai, popolo, domestici di Fiesco, ecc.

DRAMMA

SIMON BOCCANEGRA, primo Doge di Genova. *Baritono*

MARIA BOCCANEGRA, sua figlia, sotto il nome di Amelia Grimaldi. *Soprano*

JACOPO FIESCO, sotto il nome di Andrea. *Basso*

GABRIELE ADORNO, gentiluomo genovese. *Tenore*

PAOLO ALBIANI, cortigiano favorito del Doge. *Basso*

PIETRO, altro cortigiano. *Baritono*

UN CAPITANO DEI BALESTRIERI. *Tenore*

UN'ANCELLA DI AMELIA. *Mezzosoprano*

Soldati, marinai, popolo, senatori, Corte del Doge, ecc.

L'azione è in Genova e sue vicinanze, intorno alla metà del secolo XIV.

Tra il Prologo ed il Dramma passano 25 anni.

Indice

SIMON BOCCANEGRA

DI

GIUSEPPE VERDI

PROLOGO

UNA PIAZZA DI GENOVA.

Nel fondo la chiesa di San Lorenzo. A destra il palazzo dei Fieschi, con gran balcone: nel muro, di fianco al balcone, è un'Immagine davanti a cui arde un lanternino: a sinistra altre case. Varie strade conducono alla piazza. È notte.

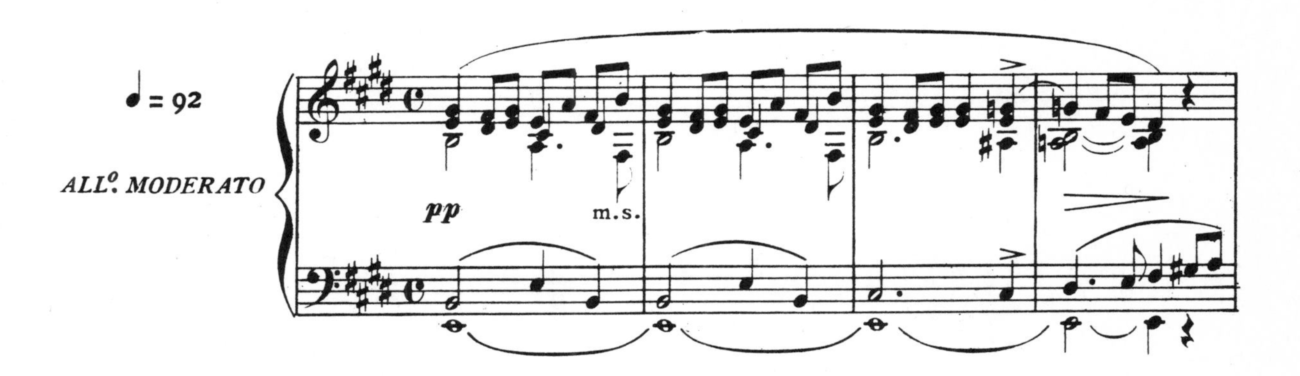

G. RICORDI & C. Editori, MILANO.

RISTAMPA 1995
PRINTED IN ITALY
47372
IMPRIMÉ EN ITALIE

dim.
pp
m.s.
A
ppp
ppp

(S'alza prontamente il sipario. - È notte)
(Paolo e Pietro sono in scena, continuando un discorso)
PAOLO
tutta questa scena a mezzavoce
Che di_cesti?.. all'onor di primo a_bate Lorenzin, l'usu_
p
PA.
lunga
_rie_re?.. Il pro_de, che dai nostri
PIETRO
Altro pro_po_ni di lui più de_gno!
pp
m.s.
PA.
mari cacciava l'african pi_ra_ta, e al li_gu_re ves_sil_lo re_se l'an_

4
lunga
_ ti_ca ri_nomanza al _ te _ ra.
O_ro,
PIETRO
lunga
In _ te_si...
e il pre_mio?..
lunga
p
PA.
PIETRO
possanza,
ono _ _ re.
B
Vendo a tal prezzo il po_po_lar fa _
mf
(Si danno la mano; Pietro parte.)
PI.
_ vo _ _ re.
f
ppp
PAOLO
alzando un po' la voce, ma non troppo
Abborri_ti,
pa_tri_zi,
al_le cime ove alberga il vostro or.
f
f
f
8 pp
47372
8 pp

PIÙ MOSSO ♩=138
PA.
- go-glio, disprezza-to ple-beo, sa-li-re io vo - - - glio.
C
PIÙ MOSSO ♩=138
f
pp
pp e leggero
SIMONE (Entra frettoloso)
con un po' d'espansione
Un am-ples -
S
- so...
sempre a mezzavoce
Che avvenne? Da Sa-vona perchè qui m'appel-
pp
MENO MOSSO ♩=100
- lasti?
I-o?..
PAOLO
(misteriosamente)
Al-l'al - ba e-letto esser vuoi nuovo a-ba-te?
MENO MOSSO ♩=100
p

S
PA.
no.
Vaneggi? (con intenzione)
O
Ti ten - ta du - cal co - ro - na? E Ma - ri - a?
con passione
parlante
vit - tima inno - cente del funesto amor mi - o!.. Dimmi, di lei che sai?.. le favel -
- la - sti?..
Ma - ri - a!
PAOLO (additando il palazzo Fieschi)
Prigionie - ra ge - me in quella ma - gion... Negarla al
p
pp
Mi - se - ra!
Pa - o - lo...
Do - ge chi po - tri - a? As - sen - ti?
p

PAOLO
I. TEMPO
Tut - - to di - sposi.. - e sol ti chieggo parte ai pe -
D I. TEMPO
pp
m.s.
SIM.
Si - a...
PA.
- ri - gli e al - la pos - san - za...
In vi - ta ed in mor - te?...
mf
SIM.
ff
Si - - a!
ff
p
PAOLO
S'appressa alcun... T'a - scondi... per poco ancor, mistero ne cir - con - di.
p

(Simone s' allontana, Paolo si trae in disparte presso il palazzo dei Fieschi)

E *MODERATO* ♩ = 100

p

(Entrano a poco a poco Marinai, Artigiani e Pietro)

pp

PIETRO sempre a mezzavoce
Al_l'al_ba tut_ti qui ver_ _re_te?
Tenori
a mezzavoce
Tut_ti.
CORO
MARINAI ED ARTIGIANI
Bassi
PI.
Niun pei pa_
Tutti.
F

PI.
-tri - zi?..
nette le parole
Niuno.
A Loren-
Niuno.
A Loren-
dolcissimo
PI.
Venduto è ai Fieschi.
Un
-zino tutti il vo - to da - rem.
Dunque chi fia l'e - letto?
-zino tutti il vo - to da - rem.
Dunque chi fia l'e - letto?
pp.

PI.
prode. Un po_po _ lan...
Sì. Ben di_ci... ma fra i nostri sai
Sì. Ben di_ci... ma fra i nostri sai
pp
PAOLO
(avanzandosi) f
Si _ mo_ne Boc_ca _ ne _ gra.
PI.
Sì.
ff
Si_
l'uom? E chi? ri _ suoni il nome su _ o.
ff
Si_
l'uom? E chi? ri _ suoni il nome su _ o.
ff
Si_

sempre sottovoce
PA.
Sì... il Cor - sa - ro all'al - to
con un grido, poi subito sottovoce
ppp
PI.
- mo - - - ne! il Cor - sa - ro!
ppp sottovoce
- mo - - - ne! il Cor - sa - ro!
ppp
- mo - - - ne! il Cor - sa - ro!
ff
pp
PA.
scranno... Verrà. Ta - ce - ran - no.
throne
They will say nothing
pp
È qui? E i Fieschi?
pp
È qui? E i Fieschi?
(Paolo chiama tutti intorno a sè; quindi, indicando il palazzo dei Fieschi, dice loro con mistero.)
f

ALL° MODERATO ♩. = 72
PAOLO
sottovoce
L'a_tra magion ve_de_ _ te?.. de' Fieschi è l'empio o_stel_ _lo,
G
ALL° MODERATO
wicked
abode
pp
PA.
u_na bel_tà in_fe_ li_ _ce......... ge_me sepol_ta in quello;
p
f
PA.
sono i la_men _ti suo_ _ i la so_la vo_ce u_
pp
m.d.
PA.
_ma_ _na che risuo_nar s'a_scol _ ta nell' ampia tom _ba ar_
H
vast
mysterious
m.s.
m.d.
m.d.

PA.
-ca - - na.
PIETRO sempre sottovoce
Già vol - go - no... tre lu - ne, che la gen - til sem - -
sempre sottovoce
Già vol - go - no... tre lu - ne, che la gen - til sem - -
CORO
Già vol - go - no... tre lu - ne, che la gen - til sem - -
m.d.
pp
PI.
-bian - - za, non ral - le - grò i ve - ro - ni della ro - mi - - ta
p
-bian - - za, non ral - le - grò i ve - ro - ni della ro - mi - - ta
-bian - - za, non ral - le - grò i ve - ro - ni della ro - mi - - ta

dolcissimo
PI.
stan - - za; pas - san-do ogni pie - to - - so in - - van mi - rar de-
stan - - za; pas - san-do ogni pie - to - - so in - van mi - rar de-
stan - - za; pas - san-do ogni pie - to - - so in - van mi - rar de-
dolcissimo
PI.
-si - a la bel - la pri - gio - nie - - ra, la mi - sera Ma - ri - - a.
-si - a la bel - la pri - gio - nie - - ra, la mi - sera Ma - ri - - a.
-si - a la bel - la pri - gio - nie - - ra, la mi - sera Ma - ri - - a.

PAOLO
Si schiudon quel - le por - - - te so - lo al pa - tri - zio al -
pp
m.d.
m.s.
PA.
- te - - - ro, che ad ar - te si........ rav - vol - - - ge..................
m.d.
m.s.
PA.
nel - l'ombre del mi - ste - ro...
PIETRO
È ver.
CORO
È ve - ro.
È ver.
f
47372

PA.
Ma ve_di in not _ te cu _ _ pa per le de_ser _ te
PI.
pp
Oh cie_lo!
pp
Oh cie_lo!
pp
Oh cie_lo!
L
p
PA.
sa _ _ le er_rar si_ni _ stra vam _ pa, qual
PI.
wandering
flame
Oh cie_lo!
Gran Di_o!
Oh cie_lo!
Gran Di_o!
Oh cie_lo!
Gran Di_o!

PA.
d'a - ni_ma in - fer - na - - - le.
PI.
ff
pp
Par l'an - tro dei fan -
ff
pp
Par l'an - tro dei fan -
ff
pp
Par l'an - tro dei fan -
f
fp
PI.
pp
f
- ta - si - mi!.. Oh, qual or - ror!.. Par
pp
f
- ta - si - mi!.. Oh, qual or - ror!.. Par
pp
f
- ta - si - mi!.. Oh, qual or - ror!.. Par
f

PI.
l'an_tro de' fan_ta_si_mi!.. Oh, qual or_ror!
l'an_tro de' fan_ta_si_mi!.. Oh, qual or_ror!
l'an_tro de' fan_ta_si_mi!.. Oh, qual or_ror!
pp
fp
PAOLO (Dal palazzo Fieschi si vede il riverbero d'un lume.)
M
Guar_da_te! La fe_ral vampa ap_
fatal light
pp
fp
PA.
_pa_ _re... V'allonta_na_te. Si
PIETRO
Oh ciel!..
CORO
Oh ciel!..
Oh ciel!..
ppp
pp

PA.
cac - ci_no i de - mo - nii col se - gno del - la cro - - -
PA.
PIETRO - - - - - ce...
Si cac - ci_no i de_mo - nii col
CORO
Si cac - ci_no i de_mo - nii col
Si cac - ci_no i de_mo - nii col
N
PAOLO
pp
Al -
PI.
se - gno del - la cro - - - - - - - ce...
se - gno del - la cro - - - - - - ce...
se - gno del - la cro - - - - - - ce...
O

PA.
-l'al-ba.
Si-mone.
42
PI.
Qui.
Si-mo-ne ad u-na vo-
Qui.
Si-mo-ne ad u-na vo-
Qui.
Si-mo-ne ad u-na vo-
(Tutti partono di qua e di là a gruppi)
PI.
-ce.
-ce.
-ce.
ff

P ANDANTE SOSTENUTO ♩: 66
pp
FIESCO
(Esce dal palazzo.)
(rivolto al palazzo)
A te l'estremo ad-
fp
pp
F
-di-o, palagio alte-ro, freddo se-polcro dell'angio-lo mi-o!.. Nè a proteggerti
f
(si volge all'Imagine)
valsi!.. Oh male-det-to!.. oh vi-le se-dut-to-re!.. E
f
fp
pp
tu, Ver-gin, sof-fri-sti ra-pi-ta a le-i la verginal co-ro-na?..
Q
f
ALL.º

(Allegro)
Largo
F
Ah! che dis_si?.. de_li_ro!.. ah, mi per_do - na!
p
col canto
AND.te SOSTENUTO ♩= 56
Il la_ce_ra_to spi_ri_to
ppp
del mesto ge_ni_to_re e_ra ser_ba_to a stra_zio d'in_famia e di do_lo - re.
f p
È mor_ta!.. è mor_ta!..
Il
CORO
pp
Mi_se_re_re!.. Mi_se_re_re!..
(interno e molto lontano)
Mi_se_re_re!.. Mi_se_re_re!..

Cantabile
F
ser_to a lei de' mar_ti_ri pie_to_so il cielo diè...
Resa al fulgor de_
E morta!..
è morta!..
R
pp
_gli an_ge_li, pre_ga, Maria, per me,
pp
f
è mor_ta!
a lei s'apron le sfe_ _ re!..
Mi_se_re_re!..
mi_se_re_ _ re!..
Mi_se_re_re!..
mi_se_re_ _ re!..
pp

con espress.
F
re_sa al fulgor degli ange_li,
pre _ ga, Maria, per me,
è mor_ta!
mai più non la ve_
....
mi_se _ re_re!..
....
mi_se _ re_re!..
pp
allarg.
F
pre_ga per me,
prega per me, prega, Maria, per
_drem in ter _ ra!
mai più non la ve_dre_mo in ter _ ra!..
mi_se _ re _ re!..
mi_se _ re _ re!..
mi_se _ re _ re!..
mi_se _ re _ re!..

(Varie persone escono dal palazzo, e traversando mestamente la piazza s' allontanano)
F
me
non la ve_drem mai più!
non la ve_drem mai più!
non la ve_drem mai più!
S
pp
pp

pppp
pp
pppp
T

ALL.° MODERATO ♩= 100
(Simone ritorna in scena esultante)
pp
SIMONE
Suona ogni labbro il mio nome. O Ma_ri_a! forse in bre_ve po_trai
POCO PIÙ MOSSO
(scorge Fiesco)
S
dir_mi tuo sposo!.. Al_cun veggo!..
POCO PIÙ MOSSO
pp
S
ALL.° AGITATO ♩= 120
chi fi_a?
FIESCO
Si - mon?
U ALL.° AGITATO ♩= 120
ff

SIM.
Tu?
FIESCO con forza
Qual cie_co fa - to a oltraggiar_mi ti tra_e_a?...
mf
ff
F
Sul tuo ca - po io qui chie_
mf
SIM.
Pa - dre
F
_de - a l'i_ra vin - di_ce del ciel.
con espressione

S
mio, pie - tà t'im_plo - ro sup_pli_che - vo - le a' tuoi
S
pie_di... il per - do - no a me con - ce - di...
FIESCO
Tar - diè o-
S
Non sii cru_del, non sii cru_del. Su_bli-
F
-mai. Tar_diè omai.

S
V - mar - - mia lei spe - rai so - vra l'a - - - li del - la
p stacc.
S
glo - - ria, strappai ser - - ti al - la vit - to - - - ria per l'al -
S
- ta - - re dell'a - mor.
dolciss.
FIESCO
(freddamente)
Io fea plau - so al tuo va -
F
- lo - re, ma le of - fe - - se non per - do - no... te ve -

SIM.
Ta - ci...
sempre cres.
F
- des - - si asce - so al tro - no... Se - gno all'o - dio mio e al - l'a-
F
- ná - - tema di Di- - - o e all' a - ná - tema di Di- -
ff
SIM.
Pa- - - ce...
F
- o è di Fiesco l' offen - sor. No!
Z
F
Pa - ce non fo - ra se pri - a l'un di noi non
p
f

(gli presenta il petto)
SIM.
Vuoi col sangue mio pla - car - ti? qui fe - - ri - -
F
mo - ra.
S
- sci...
Sì, m'uc - cidi, e almen se - polta fia con
(ritirandosi con orgoglio)
F
Assas - si - narti?
p
S
me tant' ira...
pausa lunga
MENO MOSSO ♩=92
F
A - scol - ta. Se con - cedermi vor - rai.... l'inno -
MENO MOSSO ♩=92
ppp

F
_cen_te sventu _ ra_ta che na _ sce_a d'impuro a _ mor, io,che an_
ppp
F
_cor non la mi_ra _ i, giuro ren_derla be _ a_ta, e tua_
f
SIM.
Nol pos_s'i _ o.
F
_vrai per _ do _ no al_lor. Perchè?
p
f
dim.
S
Ru_bel_la sor_te lei ra _ pi...
F
Fa _ vel_la.
p
ppp

SIM. ANDANTINO ♪ = 92
cantabile
YY
Del mar sul li - do fra gente o - sti - le
ANDANTINO ♪ = 92
p
S
crescea nel - l'om - bra quel - la gen - ti - le; crescea lon - ta - na dagli occhi
S
mie - i, vegliava an - no - sa donna su le - i. Di là u - na
pp
X
pp
S
not - te var - can - do, so - lo dal - la mia na - ve sce - si a quel

acce - - le - - ran - - do
S
suo - lo. Corsi al-la ca - sa... n'e - ra - la
acce - - le - - ran - - do.
S
por - ta ser - ra - ta, mu - ta!
FIESCO
La don - na?
S
Mor - ta!
1º Tempo
F
E la tua fi - glia?..
W
1º Tempo
f
pp
SIM.
Mi-se-ra, tri - sta, tre gior-ni pian - se, tre gior-ni er - rò.
dolciss.

con accento
p
S
Scom_parve po_scia, nè fu più vi_sta, d'al_lo_ra in_
con passione
f
ten.
S
_darno cerca_ta io l'ho, in_darno, in_ dar_no cer_ca_ta io l'ho.
AA
FIESCO
Se il mio de _ si _ re com _ pier non puoi,
p
p
F
pa _ ce non puo _ te es _ ser fra noi! Ad_
pp

SIM.
(Gli volge le spalle)
Coll'amor mi - o sa-prò pla - car - ti; m'o-di, ah
F
- di - o, Si - mo - ne!
espress.
S
m'o - di. M'o - di.
(freddo, senza guardarlo)
F
No. Ad - di - - -
ff
col canto
pp
(s'allontana, poi s'arresta in disparte ad osservare)
F
o.
allargando

SIM.
ALLEGRO
BB
Oh, de' Fie_schi impla_ca_-ta,or_ri_da raz - - - za!..
ff
fp
pp
col canto
E tra co_te_sti ret_ti_li na.
dolce e lento
_scea quella pu - ra bel_tà?
ANDANTE ♩=88
Vederla
(S'avvia al palazzo)
voglio... Coraggio.
(Dà tre colpi alla porta)
Muta è la magion de'
p
ALL? come prima
CC
Fieschi?
Dischiuse son le porte!..
Qua_le mi.

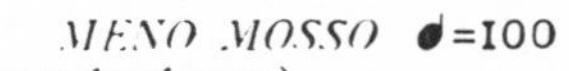
MENO MOSSO ♩=100

(Risoluto, entra nel palazzo.)
S
stero!..
Entriam.
FIESCO
cres.
p
T'i_nol - tra e strin - gi ge - li - da
MENO MOSSO ♩=100
p
(Comparisce sul balcone.)
S
Nessuno!..
Qui
F
f
sal_ma.
pp e staccato
pp
pp
ANDte come prima
(Stacca il lanternino della Immagine, ed entra.)
S
sempre silen_zio e te - nebra!..
ANDte come prima
DD
pp
pp
(S'ode un grido di dentro)
S
Mari - a!.. Mari - a!!
FIESCO
L'o_ra suo.
dolce
f
ppp

ALL.º AGITATO ♩=132
F
-nò del tuo ca - sti - go...
ALL.º AGITATO ♩=132
f
SIM. (Esce dal palazzo, atterrito.)
È so-gno!
ff
S
Sì; spaven-to-so, a-tro-ce sogno è il mi - o!
Ten.
CORO
(interno, in lontananza)
Bocca - ne -
Bassi
Bocca - ne -
pp
p
S
Quai vo-ci!
E - co d'infer - no è
-gra! Bocca - ne - gra!
-gra! Bocca - ne - gra!

ALL.º ASSAI VIVO ♩=92

S

EE

questo!..

ALL.º ASSAI VIVO ♩=92

p tr tr tr

PAOLO (Entrano frettolosi Paolo, Pietro ed alcuni Artigiani e Marinai)

Do - ge il po -

PIETRO

Do - ge il po -

tr tr tr

SIM.

Vi - a fan - ta-smi! vi - a!

PA.

- pol t'ac - cla-ma!

PI.

- pol t'ac - cla-ma!

FF

PA.

Che di' tu?

PI.

Che di' tu?

SIM.
a tempo
Pao - lo!.. U.na tom - ba...
PAOLO
Un tro - - no!..
44
GG
col canto
f
p
FIESCO
(Do - ge Si - mon?.. m'ar - de l'in - fer - - - no in
F
pet - - - to!..)
mf
Sop. (Entra il popolo tumultuosamente con faci accese)
CORO
Vi - va Si.mon! vi.va, vi.va, vi - va Si.mon!
Ten.
Vi - va Si.mon! vi.va, vi.va, vi - va Si.mon!
Bassi
Vi - va Si.mon! vi.va, vi.va, vi - va Si.mon!
tr

Vi - va Si-mon, del po - po-lo l'e-
Vi - va Si-mon, del po - po-lo l'e-
Vi - va Si-mon, del po - po-lo l'e-
HH
ff
tr
PAOLO
(Le campane suonano a stormo)
Vi - va Si - mon, del po-po-lo l'e-
PIETRO
Vi - va Si - mon, del po-po-lo l'e-
-let - to! vi - - va,............... vi - - va,
-let - to! vi - va Si - mon, del po-po-lo l'e-
-let - to! vi - va Si - mon, del po-po-lo l'e-

PA.
-let - - to! vi - - va, vi - - - - - - - -
PI.
-let - - to! vi - - va, vi - - - - - - - -
vi - - - - - - va,................... vi - - - - - va Si-
-let - - to! vi - - va, vi - - - - - - - -
-let - - to! vi - - va, vi - - - - - - - -
PA.
-va, vi - va Si - mon, del po-po-lo l'e-let - -
PI.
-va, vi - va Si - mon, del po-po-lo l'e-let - -
-mon, vi - - - va,.............. vi - - - va, vi - -
-va, vi - va Si - mon, del po-po-lo l'e-let - -
-va, vi - va Si - mon, del po-po-lo l'e-let - -

PA.
- to, vi - - va, vi - - - - - - va!
PI.
- to, vi - - va, vi - - - - - - va!
- - - va vi - - - - va Si - mon!
- to, vi - - va, vi - - - - - - va!
- to, vi - - va, vi - - - - - - va!
8
PA.
vi - va Simon! vi - - - va! vi - va Si-
PI.
vi - va Simon! vi - - - va! vi - va Si-
vi - - - va!
vi - - - va Si - mon!
vi - va Simon! vi - - - va! vi - va Si-

Fine del Prologo

ATTO PRIMO

GIARDINO DE' GRIMALDI FUORI DI GENOVA.

Alla sinistra il palazzo; di fronte il mare. Spunta l'aurora.

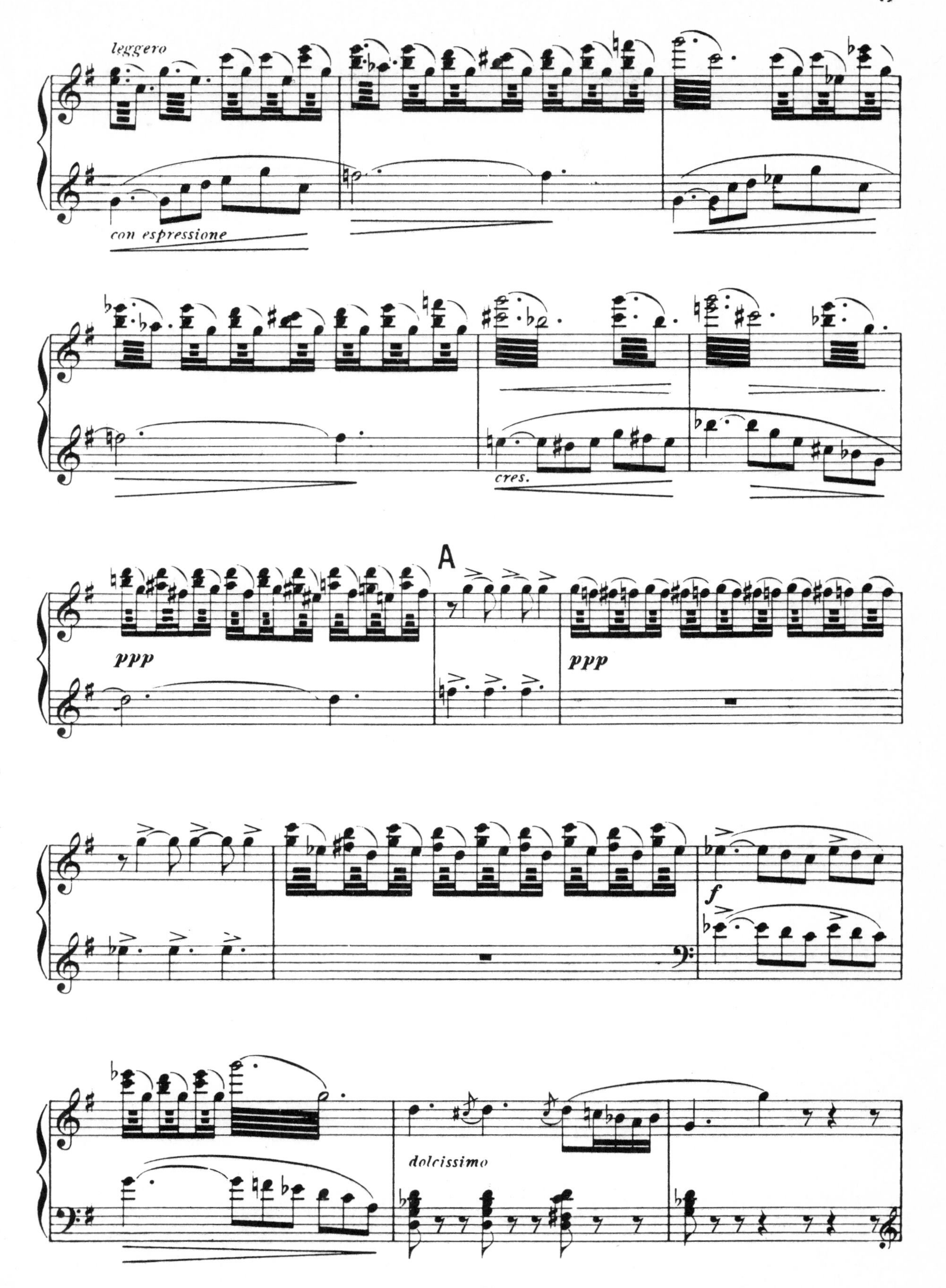
leggero
con espressione
cres.
A
ppp
ppp
f
dolcissimo

(s' alza il sipario)
(Amelia in scena guardando verso il mare.)
ppp
B
ppp
AMELIA Cantabile
Co - - - me in que - st'o - ra bru - - - na sor - -
A.
- ri - - - - don gli a - stri e il ma - - - re!

A
Co - - - me s'u - - ni - sce, o lu - - - - na, al - -
A
- l'on - - - da il tuo chia - ror!.. Ah!...................... a -
A
con forza
- man - - - te am - ples - so pa - - - re.................................

string.
LO STESSO MOVIMENTO
A
.... di due vir_gi_nei cor! Ma gli a - - - stri e la ma_
C
LO STESSO MOVIMENTO
accel.
pp
_ri_na che di _ cono alla men_te del_l'or _ fana meschina?.. La notte
cupo
a_tra, cru_del,...................... quan_do la pia mo_ren_te scla_
pp

solenne
A
-mò: Ti guardi il ciel!
f
p
dim.
allarg.
I.º TEMPO
A
O al-te - - - - ro o-stel,........ sog-
D
I.º TEMPO
ppp
-gior - - no
di stir - - - - pe ancor.......... più al-

A
te - - - ra, il tet - - - - to di - sa
A
_dor - - no non.......................... o_bli_ai.......... per
A
te!.. Ah! so - - - lo in tua pom - pa au_

A
_ste _ _ _ ra .... a _ mor sor_ri _ de a
(Si volge verso il mare.)
A
me.
E
A
S'i _ nal _ ba il ciel!..

A
ma l'a-mo - - ro - so can-to non s'o - de an - -
dolcissimo
A
- co - ra!..ei mi ter - ge o - gni dì, come l'au - ro - ra la rugiada dei
A
fior,............................del ciglio il pian - - - to.
morendo
dim.
ppp

PIÙ MOSSO ♩. = 48
GABRIELE
(ben lontano)
Cie - - - lo di stel - le or - ba - - to, di
PIÙ MOSSO ♩. = 48
p (Arpa interna)
G
fior.......... ve - do - vo pra - - to,............... è l'al - - - ma sen - za a -
AMELIA
ALL°. PRESTO
Ciel!.. la sua
G
f
- mor, è............. l'al - ma sen - za a - - mor.
ALL°. PRESTO
A
mf
A
voce!.. È desso!.. ei s'avvi - ci - na!.. oh gio - ia! oh
cres.
f

A
gio - - - - - ia!..
GAB.
(più vicino)
Se man - - ca un cor che
ff
p
G
t'a - - ma, non em - - - piono tua bra - ma,.............. non
G
f
em - - - pio - no tua bra - - - - ma o - ro, possan - za, o -

AME.
ALLº AGITATO 𝅗𝅥=98
Ei vien! l'a_mor m'avvam_pa in sen e spez_za il
G
_nor.
B
ALLº AGITATO 𝅗𝅥=98
pp
A
fren l'ansan_ _te cor! ah! e
ff
A
spez_ _ _ _za il fren l'ansan_ _te cor, l'ansan_ _ _
GAB.
(in scena)
A_ni_ma
p
mf

te cor! Perchè sì tardi giungi?
G
mi - - a!
Perdo_na,o cara... I lunghi indugi
p
ALL°. MOD^to ♩ = 100
A
Paven - - to... L'ar_
G
mie_i t'appresta_no gran_dez_za...
Che?
C
ALL°. MOD^to ♩ = 100
f
a tempo
f
p
A
_ca_no tuo co_nobbi... A me sepolcro ap_presti, il pa_
A
GAB. _ti _bo_lo a te!... Io amo Andrea qual padre, il sa_i; pur m'atter_
Che pensi?

AND^te MOSSO ♩=88
A
_risce!.. In cupa notte non vi mi_rai sotto le tetre
D AND^te MOSSO ♩=88
p
A
GAB. vol _ te er _ rar so _ vente torbidi, irre_quieti?
Chi?
A
Tu, e Andre_a, e Loren _ zino ed altri...
ALLEGRO
G
Ah ta_ci... il
ALLEGRO
G
ven _ _ to ai ti _ ran_ni potria recar tai vo_ci! Parlan le mu_ra... un

AME.
Tu tre_mi?..
G
de_la_tors'a_scon_de ad ogni passo...
I funesti fantasmi
p
f
ppp
A
pp
Fan_ta_ _ _ smi di_ce_sti?
ANDANTINO ♪=92
G
scaccia!
E ANDANTINO ♪=92
pp
AME.
sottovoce
Vie_ni a mi_ _rar la ce_ _ _ru_
A
_la ma_ri_na tre_ _ _mo_lan_ _ _ _ _te;
pp

A
là Ge - no - va tor - reg - - - gia sul
f
ta - - - la - - mo spu - - man - te; là i tuoi ne-mici im-
p
3
A
- pe - rano, vin - cerli indar-no spe-ri... Ri-para i tuo-i pen-
cantabile
p
A
- sie - - - ri, ri - pa - rai tuoi pen - sie - - - ri al por - to dell'a-
dolcissimo
dim.
pp

A
-mor.
GAB.
An - giol che dal-l'em - pi - re - o pie - ga - sti a
F
p con espressione
G
ter - ra l'a - - - le, e co-me fa - ro
AME.
Là i tuoi nemi-ci im-
G
sfol - go - ri.......... sul tra - mi - te mor - ta - le,

A
G
-pe - rano,
vin-cer-li in-dar-no
spe-ri...
non ri-cer-car del - l'o- - dio
i fu-ne-bri mi-
indar-no spe-ri...
-ste - ri;
ri-pa-rai tuo-i pen-sie - - - ri, ri-
G
pp
frase larga
Ri-pa-rai tuo-i pen-
dolce
-pa-rai tuoi pen-sie - - ri al por - to dell'a - mor,

A
_sie _ _ _ ri, ri _ pa _ ra i tuoi pen _ sie _ _ ri al por _ to dell'a _
G
ri_para al por _ to dell'a _
A
dolce
_mor, del _ _ l'a _ mor,
G
_mor, del _ _ l'a _ mor,
H
leggero
ff
ppp
dolciss.
A
al por _ _ to dell'a _ mor...
G
ff
ppp
dolciss.
al por _ _ _ to dell'a _ mor...
ff
ppp
allarg. morendo
ppp

ALLEGRO ♩=132
(fissando a destra)
A
Ah!.. Ve_di là quel_l'uom?.. qual
G
ALLEGRO ♩=132 Che fi_a?
om_bra o_gni dì ap_par.
ANCELLA
(Entra)
Del doge un messag_
Forse un ri_val?..
S'ap_pres_si.
(fermandolo)
T'ar_re_sta.
AN.
(Esce.)
_ger di te chie_de.
(Va per uscire.)
Chi sia ve_der vo_glio...
PIETRO
(Entra ed inchinandosi ad Amelia dice:)
Il doge dalle

AME.
Presto
P
cac-cie tornan-do di Sa - vo-na questa magion vi-si-tar brama.
Il puote.
L
pp
GAB.
(Pietro fa un inchino e parte)
Il doge qui?
pp
f
AME.
Mia destra a chieder viene.
Pel fa-vori - to su - o.
G
Per chi?
f
ff
A
D'Andrea vola in cerca... Affrettati... va... prepara il rito nu-zial... mi guida al-
pp
pp

A
-l'a - ra.
ff
ALL.° BRILLANTE ♩= 144
molto piano per quattro battute
A
Sì, sì, del-l'a-ra il giu-bi-lo
con-tra - sti il fa-to av-
GAB.
Sì, sì, dell'a-ra il giu-bi-lo
M ALL.° BRILLANTE ♩= 144
P leggerissime queste prime quattro battute
A
-ver-so, e tut - to l'u-ni - ver - so io sfi-de-
G
e tut - to l'u-ni - ver - so
f

A
G
_rò,
io sfi_de_rò con te.
io sfi_de_rò con te.
p
f
A
G
N
pp
In_na_mo_ra _ to a _ ne_li_to
In_na_mo_ra _ to a _ ne_li_to
è del de_stin più
p
tutta forza
A
G
è del de_stin più for _ te; a_man _ ti ol_tre la
for - - - te; ah! a_man _ ti ol_tre la

A
mor - - te, sem - pre vi - vrai, vi - vrai con
G
mor - - te, sem - pre vi - vrai, vi - vrai con
p
A
me, sem - pre vi - vrai, sem-pre vi - vrai,...............
G
me, sem - pre vi - vrai, sempre vi-
p
p
A
...... vi-vrai con me.......................... sem-pre vi-vra - i con me,
G
-vrai,...................... vi-vrai con me, sem-pre vi-vrai con me,
8
ff

allarg.
(Amelia entra in palazzo)
A
sempre vi_vrai,......... vi_vrai... con me.
G
sempre vi_vrai,......... vi_vrai... con me.
ff allarg. e pesante
dim:
GAB. (va per uscire dalla destra e incontra Fiesco)
REC.vo
(Propizio ei giunge!) A dirti...
FIESCO
Tu sì mattutino qui?.. Ch'ami A_me_lia.
SCENA e DUETTO
ALL.o MOD.to
Tu che lei ve_gli con pa_ter_na cu_ra a nostre noz_ze assen_ti?
F

PIÙ LENTO
G
E qual?
F
Al_to mi_ste_ro sul_la vergine in_com_be. Se
PIÙ LENTO
p
a Tempo
G
Non te_me om_bra d'ar_ca_ni l'a_mor
F
par_lo, forse tu più non l'ame_rai.
a Tempo
pp
G
mi_o. T'ascolto!
Presto
La figlia dei Gri_
F
Amelia tua d'umi_le stir_pe nacque.
pp
f
col canto

A TEMPO ♩= 80

G

-mal-di?..

pausa lunga

F

No... la fi-glia dei Gri-mal-di morì tra con-sa-

A *A TEMPO* ♩= 80

f

p

F

-cra-te vergini in Pi-sa. Un'orfana raccol-ta nel chio-stro il

F

dì che fu d'Ame-lia estre-mo e-re-di-tò sua cel-

GAB.

ALLEGRO

Ma co-me dei Gri-mal-di anco il no-me prende-a?..

F

-la... De' fuo-ru-

ALLEGRO

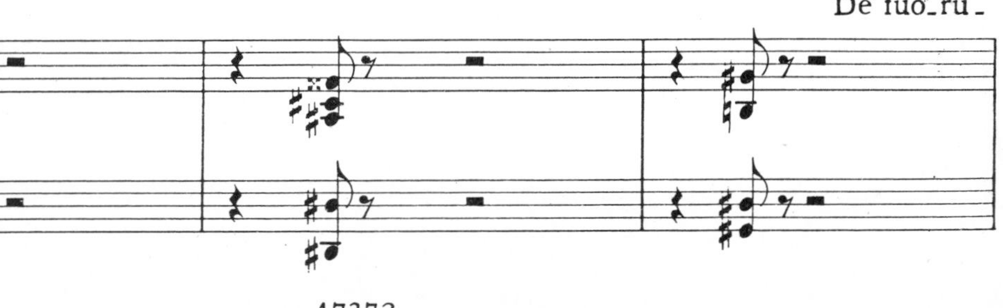

G
F
Presto
-sci-ti per-seguia le ricchezze il nuovo Doge; e la mentita A-me-lia al-la ra-pa-ce
col canto
L'or-fa-na a-do-ro.
A me fia dunque u
man sot-trar-le po-tea.
Di lei sei de-gno!
p
-ni - ta?
Mi dai la vi - - ta!
solenne
In ter - ra ed in ciel!
pp
pp

SOST.to RELIGIOSO ♩= 68
FIESCO
B
Vie - ni a me, ti
♩= 68
pp SOST.to RELIGIOSO
F
be - ne - di - co........ nel - la pa - ce di que - st'o -
GAB.
con espressione
religioso
E - co pi - a del tempo an-
F
- ra...............
C
pp
G
- ti - co, lá tu - a vo - - ce è un ca - sto in - can - -
dim.
ppp

G
pp
_to.
Ser _ _ be _ rà ri_cor_do
FIESCO
Lie _ to vi _ vi e fi _ do a _ do _ _ _
G
san _ to
di.................... que _ st'o_ra il cor fe _
F
_ra.................
l'an_giol tu _ o, la pa _ _ tria, il
D
G
ppp
dim.
_del.
ser _ be _ rà...................... ri _ cor _ do san _ _
F
ciel,
a _ _ do _ ra
ppp

dolciss.
ALLEGRO ♩=144
G
_to di...... que_st'o_ra il cor fe - - del!
F
pp
l'an_giol tuo, la... pa_tria,il ciel!
E
(squilli interni)
pp
pp
rall.
ALLEGRO ♩=144
GAB.
Il Doge vien. Partiam. Ch'ei non ti scorga.
FIESCO
(Partono.)
(Dalla sinistra viene Amelia con alcune damigelle.)
Ah! presto il dì della vendetta sorga!

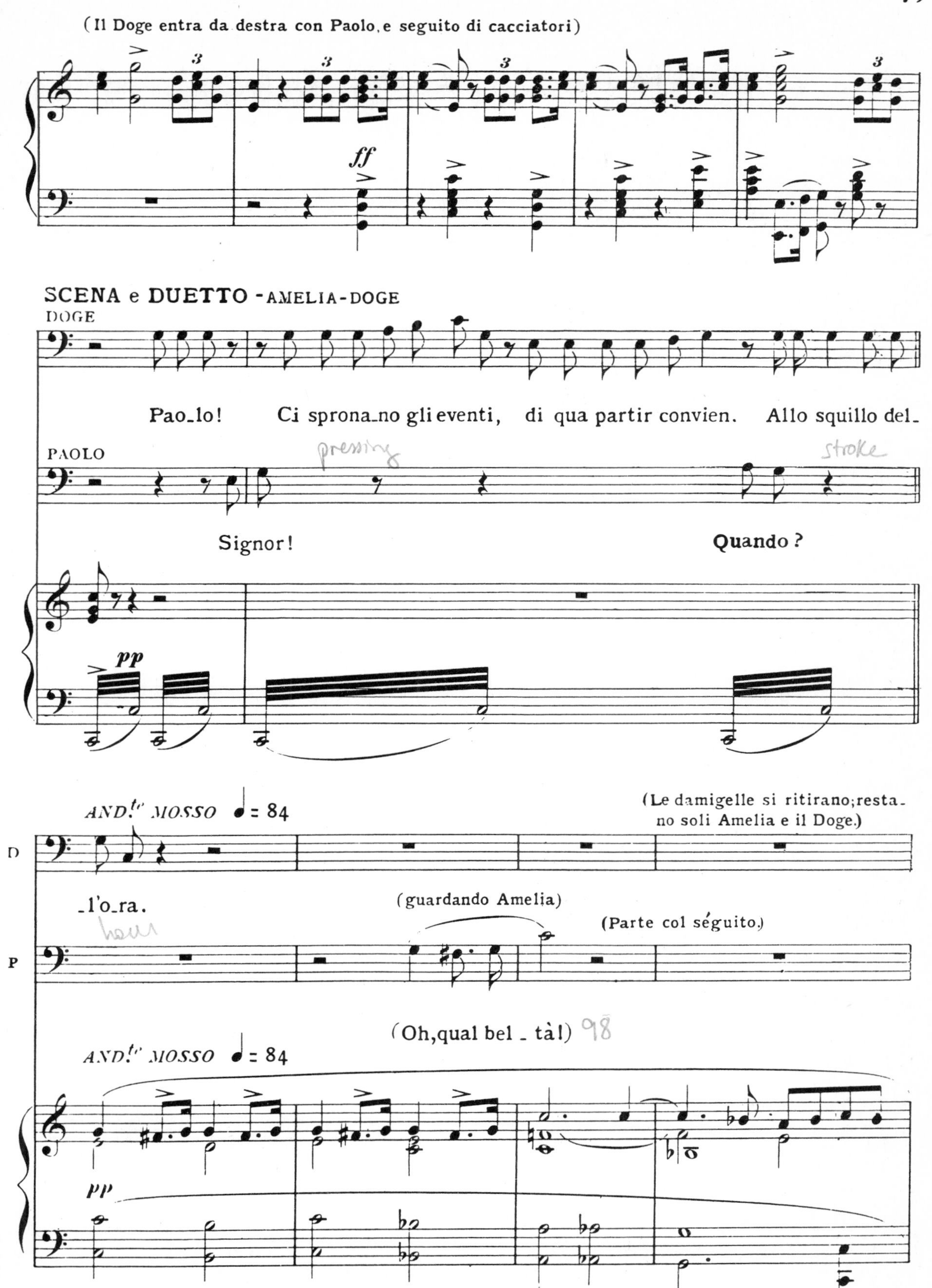
(Il Doge entra da destra con Paolo, e seguito di cacciatori)
ff
SCENA e DUETTO - AMELIA - DOGE
DOGE
Pao_lo! Ci sprona_no gli eventi, di qua partir convien. Allo squillo del_
PAOLO
Signor! Quando?
pp
AND.te MOSSO ♩= 84
(Le damigelle si ritirano; resta_ no soli Amelia e il Doge.)
D
_l'o_ra.
(guardando Amelia)
(Parte col séguito.)
P
(Oh, qual bel _ tà!)
AND.te MOSSO ♩= 84
pp

DOGE
Favella il Doge ad A_me_lia Gri_
AME.
Co_sì no_ma_ta io so_no.
D
_mal_di?
E gli e_su_li fra_tel_li
A
pp
A
Possente... ma...
D
tuo_i non punge de_sio di pa_tria? In_ten_do...

D
A me inchi_nar_ si sdegnano i Gri_maldi...
Co_sì ri_
ALL.º MODERATO ♩= 100
(Le porge un foglio.)
D
_sponde a tanto or_go _ glio il Doge...
B ALL.º MODERATO ♩= 100
pp
AME.
(leggendo)
Che veggio!.. il lor per_do_no?
D
E denno a te del_la clemenza il do _ no.

DOGE
ALL.º GIUSTO ♩= 120
Dinne, perchè in que
ALL.º GIUSTO ♩= 120
p
D
-st'e - re-mo tan-ta beltà chiu-de-sti? Del
D
mon - do mai le ful - gi-de lu-sin - - ghe non pian-
C
D
-ge - - sti?
Il tuo rossor mel di-ce...

AME.
T'inganni! io son fe_li_ce...
DOGE
A_gli an - ni tuoi l'a-
-mo - re...
A
Ah!............ mi legge - sti in co - - re! A-
D
-mo u - no spir - to an_ge - li_co che ar_den - te mi... ri -
POCO PIÙ MOSSO ♩=136
-a_ma... ma di me acce - - so un
D
POCO PIÙ MOSSO ♩=136

A
per_fi_do l'ôr de' Grimal - - di
A
bra_ma... Quel vil no_
DOGE
Pao - - - lo!
A
_ma - - sti!.. E poi_chè tan_ta pie_
E
ff
pp
A
_tà..... ti.... muove dei de_sti_ni........ mie_i, vo'svelarti il se_

A
-gre-to che m'amman - ta.
Non sono una Gri - mal - di.
ppp
ff
DOGE
Oh Ciel! chi sei?
ANDANTINO ♪=136
F
dolciss.
ANDANTINO ♪=136
pp
AME.
Or-fa - nel-la il tet-to u-
pp
morendo
pp
pp
A
-mi-le m'acco - glie-a d'u-na me-schi-na, dove presso alla ma-

A
pp
-ri - na sor - ge Pi - sa... Grave
DOGE
In Pi - sa tu?
G
d'an - ni quel - la pi - a e - ra so - lo a me so - stegno; .... io pro -
-va - i del ciel lo sdegno, ... ah! .... in - vo -
pp
-la - ta el - la mi fu. Colla tre - mula sua
H
pp

pp
ma_no pin_ta ef_fi_gie mi por_ge_a, le sem_
_bianze es_ser di_ce_a del_la madre i_gnota a
con passione
me. Mi ba_ciò, mi bene_dis_se, levò al
p
f
dim.
ciel, pregan_do, i ra_i... quante vol_te la chia_ma_i, l'e_co

morendo
A
sol ri-spo - sta die'.
DOGE
(Ah! se la spe - me, o ciel cle-
D
-men - te, ch'or sor - ri - de al-l'al-ma mi - a, fos - se
D
f
p
so - gno!... e-stinto io si - a del - la lar - va, del-la larva al di - spa-
AME.
Co - me te - tro a me do-len - te s'appressa - va, s'appres-sa - va, s'appressa - va l'avve-
pp
D
-rir! se la spe - - - -
L

A
D
_nir! co - me tri - ste, co - me tri - ste a me do -
_me fos_se so - gno, fos_se so - gno!.. estinto io
mf
_len - te s'ap - pres - sa - va l'av - ve - nir! co - me
dolce
si - a del - la lar - va al di - spa - rir! fos_se
p
ppp
tri - ste, co - me tri - ste s'ap - pres - sa - va, s'ap - pres -
so - gno, fos_se so - gno!.. estinto io sia, e_stinto io
ff
f

A
sa - - - - - - va l'av - ve - nir!
D
si - a del - la lar - va al di - spa - rir!)
pppp
ppp
allarg.
DOGE
ALLEGRO MODERATO ♩= 120
Dinne... al - cun là non ve - desti?
M pp
AME.
Uom di mar noi vi - si - ta - va...
E Giovanna si no - mava lei che i
fa - ti a te ra - pìr? E l'ef - fi - gie non somiglia questa?
Sì.
(trae dal seno un ritratto, lo porge ad Amelia, che fa altrettanto)
N
string: a poco

A
U-gua - li son!..
Il no - me mio!..
D
Ma-ri - a!..
Sei mia
a
poco
cres:
a
A
I - o?..
Padre!..
Ah!
D
fi-glia.
M'abbrac-cia,o fi - glia mi - a.
Ah!
poco
ff
A
strin - gi al
sen
Ma-ria che
t'a - -
D
fi - glia,il
cor,
il cor ti
chia - -

A
ma.
D
ma.
ff
DOGE
dim.
Figlia, figlia, il
dim.
AME.
D
cor ti chia ma.
Strin gi al
A
sen Maria che t'a
p
allarg.
47372

ALL.º GIUSTO ♩= 120
A
-ma.
con espress.
DOGE
Figlia! a tal nome io pal-pito qual se m'aprisse i cie - li...
ALL.º GIUSTO ♩= 120
pp
D
un mondo d'i-nef-fa-bi-li le-ti-zie a me ri-ve-li; un pa-radiso il
dolciss.
D
te-nero padre ti schiude-rà... di mia corona il raggio la...
dolciss.
ppp
AME.
PIÙ MOSSO
con espress.
Pa - dre! vedrai la vi - gi - le...............
D
gloria tua sa-rà.
PIÙ MOSSO

A
fi - glia a te sempre accan - - to; nel - l'o - ra me - lan -
A
- co - - - - ni - ca asciugherò il tuo pian - to...
pp
A
a - vrem gio - ie ro - mi - te, sol -
DOGE
Un pa - ra - di - so il te - ne - ro pa - dre ti schiu - de -

A
D
ppp
_tan_to no_te al ciel; io la co_lomba mi_te sa_
_rà... di mia coro_na il rag_gio la.....
PIÙ ANIMATO
dolce
_rò del re_gio o_stel, a_vre_mo gio_ie ro_
glo_ria tua sa_rà, a_vre_mo
R
p
_mite, no_te, no_te sol_
ff
gio_ie ro_mite, no_te sol_tan_to................no_te sol_

ppp
A
-tan - to.................... sol - tan-to al ciel, a-vre - mo
ppp
D
-tan - to.................... sol - tan-to al ciel, a-vre -
S
ppp
p
A
gio-ie ro - mite, no - - te
D
-mo gio-ie ro - mite, no-te sol-
I. Tempo
ff
ppp
A
sol - - tan - to, sol - tan - to.................... no -
ppp
D
-tan-to, no - te sol - tan - to.................... no -
I. Tempo

(Si abbracciano, ed Amelia parte accompagnata dal padre.)
A
D
te sol - tan - to al ciel.
te sol - tan - to al ciel.
T
p
con espressione
DOGE
f
O
mf cres. a poco a poco
AME. (lontana)
Pa - - - - - - - - - - - dre!
(il Doge resta estatico, contemplando Amelia che rientra nel palazzo.)
D
fi - glia! o fi - - - - - glia!
8
ff
pp

dolciss.
DOGE
(e dice un'ultima volta)
Fi - - - -
ppp allarg.
allarg.
D
- - - - - glia!
Rinuncia a ogni spe-
PAOLO (entra rapidamente da destra e s'avvicina al Doge)
Che ri - spose?
respond
allarg.
allarg. sempre
p
pp
ALLEGRO
(il Doge parte dalla destra)
D
- ranza.
Il vo - glio!
P
Doge, nol posso!
ALLEGRO
f
ff

PAOLO (solo)
Il vuoi!... il vuoi!... scordasti che mi devi il soglio?
wish
wish
f
V ALL.º VIVO ED AGITATO ♩= 144
pp
PAOLO
A me ne - golla. Ra-
PIETRO
Che disse? Che pensi tu?
PA.
-pirla. Sul li - do a se - ra la troverai so - linga... Si tragga al mio na -
PI.
Come?
carry

PA.
-viglio; di Lorenzin si re-chi al-la magion.
Digli che so, che
PI.
S'ei nega?
PA.
so sue trame,
e presterammi a-i-ta...
Tu,
PA.
tu gran mercede a-vrai...
PIETRO
Ella, el-la sarà ra-
pp
pp
PI.
(escono)
-pi-ta.
tr
tr
m.d.

Il Doge seduto sul seggio ducale; da un lato, dodici Consiglieri nobili; dall'altro lato, dodici Consiglieri popolani. Seduti a parte, quattro Consoli del mare e i Connestabili. Paolò e Pietro stanno sugli ultimi seggi dei popolani. Un Araldo.

FINALE PRIMO

DOGE
Messe_ri, il re di Tarta_ria vi porge pegni di pa_ce e ricchi
dim.
pp
f col canto p
D
do_ni e annuncia schiuso l'Eu_sin al_le li_gu_ri prore. Acconsen_
D
_tite? Ma d'altro voto più ge_nero_so io vi ri_chiedo.
PAOLO
Sì. Parla.
PIETRO
Sì. Parla.
Tenori
12 CONSIGLIERI NOBILI E
12 CONSIGLIERI POPOLANI
CORO
Sì. Parla.
Bassi
Sì. Parla.
p
col canto

DOGE
La stessa voce che tuonò su Rienzi, vati_ci_nio di glo - ria e poi di
B
ppp
(mostrando uno scritto)
D
morte, or su Ge_no_va tuona. Ecco un mes-
f
pp
Cantabile
dolciss.
-saggio del romi_to di Sorga; ei per Ve_ne_zia suppli_ca pa - -
p
ppp morendo
-ce...
PAOLO
Attenda alle sue ri_me il cantor della bionda Avi_gnone - - -
(Faster)
mf
tr

DOGE
E con quest'urlo a tro - ce fra due li - ti d'I -
PA.
-se.
(ferocemente)
PIETRO
Guerra a Ve - ne - zia!
Ten.
CORO
Guerra a Ve - ne - zia!
CONSIGLIERI
Bassi
Guerra a Ve - ne - zia!
C
D
-ta - lia er - ge Ca - i - no.............. la sua cla - va cru -
D
-en - - - - - - ta! A - dria e Li - gu - ria han - no

♩= 132
ALL°. AGITATO
Sop.
(molto lontano il Coro)
(a bocca chiusa)
CORO INTERNO
POPOLO
Ten.
pp
Oh!
(a bocca chiusa)
pp
Oh!
Bassi
(a bocca chiusa)
pp
Oh!
D
pa_tria co_mune.
PAOLO
È no_stra patria Ge _ no_va.
PIETRO
È no_stra patria Ge _ no_va.
Ten.
CORO
CONSIGLIERI
È no_stra patria Ge _ no_va.
Bassi
È no_stra patria Ge _ no_va.
D ALL°. AGITATO ♩=132
pppp

sottovoce
Ah!
Ah!
Ah!
PIETRO
(Paolo corre al verone.)
Qual clamor!
ppp e legato
Ten.
CORO
CONSIGLIERI
D'on-de tai gri-da?
Bassi
D'on-de tai gri-da?
PAOLO
Dal-la piazza dei Fieschi.
(alzandosi)
U-na sommos-sa!
U-na sommos-sa!
mf
E
p
mf

(più vicini)
CORO
POPOLO
Ah!
Ah!
Ah!
(È sempre alla finestra, Pietro lo ha raggiunto.)
PA.
Ecco... una turba di fug-
DOGE
A - scol - ta!
PA.
-gen - ti.
sempre p
PAOLO (origliando)
Si sper - don le pa - ro - le...
Can't catch
pp

CORO
Mor_te!
Mor_te!
Mor_te!
Mor_te!
Mor_te!
(Il Doge ha udito.)
DOGE
Chi?
PAOLO
(a Pietro)
È
lui?
D
(guardando)
Ciel!
Gabriele A_
PIETRO
Guarda!
D
_dorno dalla ple_be inse _ guito!..
Ac_canto ad es_so combat _ te un
f
pp
f
pp

D
Guelfo. A me un A - ral - do.
F
f
ff pp
pp
(sommesso)
PIETRO
(il Doge guardando Paolo che s'avvia)
(Pao_lo, fug - gi,o sei côl _ to.)
DOGE
Conso_li del mare, cu _ sto_di - te le soglie! O _ là, chi
D
(Paolo, confuso, s'arresta.)
fug - geèuntra - di _ tor.
f
ff

CORO
Mor - te ai pa - tri - zi!
Mor - te ai pa - tri - zi!
Mor - te ai pa - tri - zi!
(sguainando le spade)
CORO
CONSIGLIERI NOBILI
Al-
Al-
G
Vi - va il po - po - lo!
Vi - va il po - po - lo!
Vi - va il po - po - lo!
-l'ar - mi!
-l'ar - mi!
(sguainando le spade)
CORO
CONSIGLIERI POPOLANI
Ev-
Ev-

DOGE
E che? Voi pu-re? Voi,
-vi-va!
-vi-va!
p
D
qui, vi pro-vo-ca-te?
CORO
Mor-te al Do-ge!
Mor-te al Do-ge!
Mor-te al Do-ge!
(con fierezza)
(Sarà giunto l'Araldo.)
D
Mor-te al Doge? Sta ben!
8
f

D
Tu, aral - do, schiudi le por - te del pa - la - gio
col canto
a tempo
D
e annuncia al volgo genti - lesco e ple - beo ch'io non lo
col canto
pp a tempo
tutta forza
D
te - mo, che le minac - cie u - dii, che qui li at - ten - do...
f
ff
(ai Consiglieri che ubbidiscono)
D
Nel - le gua - i - ne i bran - di!
H
ff

CORO
ff
Ar - mi! sac-cheg - gio! fuo - co al - le
Ar - mi! sac-cheg - gio! fuo - co al - le
Ar - mi! sac-cheg - gio! fuo - co al - le
f
ca - se! Al - la
ca - se! Al - la
ca - se! Ai tra - boc-chi! Al - la

(tutti stanno attenti origliando)
go - - - - - - gna!
go - - - - - - gna!
go - - - - - - gna!
f
DOGE
Opp.
Squilla la tromba dell'a - raldo...
(Tromba interna)
f
sempre più piano
p
D
ei parla...
pp
Vuota
pppp
Vuota

CORO INTERNO
ff
Evvi_va il Do_
ff
Ev_vi_va!
ff
Evvi_va il Do_
ff
Evvi_va il Do_
DOGE
Tut_to è si_len_zio...
(Irrompe la folla dei Popolani, uomini, donne, fanciulli ecc.)
(Adorno e Fiesco afferrati dal popolo.)
_ge!
_ge!
_ge!
D
Ecco le ple_bi!
L
ff

Vendetta!
ven-
Vendetta!
ven-
Ven-det-ta!
ven-
-det-ta! vendetta!
vendet-ta! ven-det-ta! Spar-
-det-ta! vendetta!
vendet-ta! ven-det-ta! Spar-
-det-ta!
ven-det-ta! vendet-ta! ven-det-ta! Spar-
f
- - ga - si il sangue del.................... fie - ro ucci-
- - ga - si il sangue del.................... fie - ro ucci-
- - ga - si il sangue del.................... fie - ro ucci-
8

sor!
sor! spar - - ga - si il
sor! spar - ga - si il san - gue del fie - ro uc - ci -
8
tutta forza
san - gue del fie - ro uc - ci - -
sor! spar - ga - si il san - gue del fie - ro uc - ci -
ff
Vendet - ta! vendet - ta! vendet - ta!
sor! Vendet - ta! ff vendet - ta! vendet - ta!
sor! Vendet - ta! ff vendet - ta! vendet - ta!
8

DOGE
(ironicamente)
Que_sta è dun_que del po_po_lo la
M
mf
D
vo_ce? Da lun_gi tuo_no d'u_ra_
D
_gan, da pres_so gri_do di
D
don_ne e di fan_ciul_li. A_

GABRIELE
Ho truci_dato Loren _ zi_no.
D
_ dorno, perchè impugni l'ac_ciar?
POPOLO
CORO
Assas_
Assas_
Assas_
f
G
Ei la Gri_maldi avea ra _ pi _ ta. Quel vi_le pria di mo_
D
(Orror!)
_ sin!
Menti!
_ sin!
Menti!
_ sin!
Menti!
N
p

G
-rir
dis-se che un uom pos-sen-te al cri-mine l'ha
(fissando il Doge con tremenda ironia)
G
spinto.
T'ac-que-ta! il reo si spense
DOGE
(con agitazione)
E il nome suo?
PIETRO (a Paolo)
(Ah! sei scoperto!)
pp
pausa lunga
(terribilmente)
G
pria di sve-lar-lo.
Pel cie-lo! uom possen-te sei
D
Che vuoi dir?
pp
ff

(al Doge slanciandosi)
(divincolandosi corre per ferire il Doge)
G
tu! (a Gabriele) Au - dace rapitor di fan-ciulle! Em - pio cor-
D
Ribaldo!
CONSIGLIERI
CORO
Si di-sarmi!
Si di-sarmi!
O
p
G
-sa - ro in-co - ro - na - to! muo - ri!
(che frattanto è entrata, interponendosi fra Gabriele e il Doge)
AMELIA
f
Fe - ri - sci?
8
ff
dim.
P
pp assai legato

AME.
O Doge! Ah! salva,
GAB.
A - melia!
DOGE
A - melia!
FIESCO
A - melia!
TUTTI
CORO DI CONSIGLIERI E POPOLO
A - melia!
A - melia!
A - melia!
A
sal-va l'Ador-no tu.
(alle guardie che si sono impossessate di Gabriele per disarmarlo)
DOGE
Nessun l'of-fenda. Ca-de l'or-goglio e al

D
suon del suo do_lo_re tutta l'a_nima mia parla d'a_mo_re..........
dolcissimo
pp
a piacere
Amelia, di' come fo_sti ra_pi_ta e come al pe_riglio potesti scam_
col canto
MODERATO ♩. = 60
dolcissimo cantabile
AME.
Nel_l'o_ra so_a_ve che all'e_sta_si in_
par.
lunga
Q
p
A
_vi_ta so_let_ta men gi_vo sul li_do del mar.
poco rall.
dim.
col canto

PIÙ ALLEGRO
Mi cin _ gon tre sgher_ri... m'acco _ glie un na _
R PIÙ ALLEGRO
pp
A
_ vi _ _ _ glio. Sof_ fo _ ca_ ti non val _ se _ ro i
A
gri _ _ _ di... Io svenni... al no_vello dischiuder del
animando a poco a poco
p animando a poco a poco
cres.
A
ci_glio Lo_ren _ zo in sue stan_ze pre_sen _ te mi
animando e cres.

A
GAB. vi - di... Mi vi - di pri - gion,.................................. mi vi - di prigion dell'in -
Lo-ren-zo!
DOGE
Lo-ren-zo!
PAOLO
Lo-ren-zo!
127
PIETRO
Lo-ren-zo!
CORO
Lo-ren-zo!
Lo-ren-zo!
Lo-ren-zo!
ff
A
- fa-me! Io ben di... quell'al - ma... sa - pea la vil -
S
ff
pp

A
_tà. Al Do _ ge, gli dis_si, fien no _ te tue
ppp
p
A
tra _ me, se a me sul _ l'i_stan _ te non dai.......... li_ber_
A
_tà.
Con_fu_so di
ppp
f
p
A
tema, mi schiu_se le porte... sal_varmi l'au_da_ce minaccia po_
f
p
f
p

A
_te_a...
V'è
GAB.
ppp cres.
Ei ben me - ri - ta - va, quell'em_pio, la mor_te.
DOGE
ppp cres.
Ei ben me_ri - ta_va, quell'empio, la morte.
FIESCO
ppp cres.
Ei ben me_ri - ta_va, quell'empio, la morte.
PAOLO
ppp cres.
Ei ben me_ri - ta_va, quell'empio, la morte.
PIETRO
ppp cres.
Ei ben me_ri - ta_va, quell'empio, la morte.
CORO
ppp cres.
Ei ben me_ri - ta_va, quell'empio, la morte.
ppp cres.
Ei ben me_ri - ta_va, quell'empio, la morte.
ppp cres.
Ei ben me_ri - ta_va, quell'empio, la morte.
ppp
cres.
cres. sempre

A
un più ne_fando... ah!.................. v'è un più ne_fan_do che il_le_so ancor
(fissando Paolo che sta dietro un gruppo di persone)
A
GAB. sta. Ei m'a_scol_ta... di_
Chi dunque?
DOGE
Chi dunque?
FIESCO
Chi dunque?
PAOLO
Chi dunque?
PIETRO
Chi dunque?
Chi dunque?
Chi dunque?
CORO
Chi dunque?
U

A
GAB. _scer_no le smor_te sue lab_bra.
DOGE
Chi dunque?
Chi
D
dunque?
I. TEMPO
(minaccioso)
(ai Nobili)
CORO
POPOLANI
Un pa _ tri_zio.
Abbasso le
Un pa _ tri_zio.
Abbasso le
(minaccioso)
CORO
NOBILI
Un ple _ be _ o.
Un ple _ be _ o.
I. TEMPO
f

AME.
Terri_bi_li gri - di!
Pie-
spa - de!
spa - de!
(ai Popolani)
Abbasso le scu - ri!
Abbasso le scu - ri!
A
-tà!
DOGE
(possentemente)
Fra_tri - ci - di!!!
8
tutta forza
ff

AND.te MOSSO ♩= 92
con maestà
DOGE
Ple - be! Pa_tri_zi!.. Po - po_lo dal_la fe_ro - - ce
V
AND.te MOSSO ♩= 92
f
p
sto - ria! E_re - de sol del - l'o - dio dei
ff
p
Spi - no - la, dei Do_ria, men_tre v'in_vi - ta e_
dolce
ff
pp
_sta_ti_co il regno ampio dei ma - ri, voi nei frater - ni
f
mf

D
la - - - ri vi la - ce - ra - te il cor, vi la - ce - ra - te il
ff
f
pp
MENO MOSSO ♩= 58
espress.
cor. Pian - go su voi, sul pla - - ci - do
Z
MENO MOSSO ♩= 58
poco rall.
Cantabile
pp
rag - gio del vo - stro cli - - vo, là dove invan ger-
portato
dolce
- mo - - glia il ramo del - - l'u - li - - vo.

animando
D
Pian - go sul - la men - da - ce fe - sta dei vo - stri
col canto
fior.................................. e vo gri - dan - do: pa - ce!
Y
p
poco cres.
e vo gridan - do: a - mor........ e vo gridando: amor! (fissando il Doge)
p
ppp
dolciss.
Il suo commos - so ac -
Il suo commos - so ac -
Il suo commos - so ac -
C O R O
p dim. morendo
ppp
dolce
pp
f
ppp

AME.
(a Fiesco)
(Pa - - - ce! pa - ce! pa - ce!..
GAB.
(Amelia è sal - - - va, e
FIESCO
(O patria! a qual mi ser - ba ver-
PAOLO
(a Pietro)
.(No, l'angue che mi
PIETRO
(a Paolo)
(Tutto fallì, la fuga sia
poco cres.
cres.
-cento sa l'ira in noi cal - mar, sa l'ira in noi cal - mar, vol di so-a-ve ven-to che ras-se-
-cento sa l'ira in noi cal-mar, sa l'ira in noi cal - mar; vol di so-a-ve ven-to che ras-se-
-cento sa l'ira in noi cal-mar, sa l'ira in noi cal - mar; vol di so-a-ve ven-to che ras-se-
cres.
dim.

dolcissimo
A
A
Pa - - - - ce! lo sdegno immen-
dim.
G
m'a - ma! sia ringra-zia-to il ciel!
F
-gogna il mio spe-ra - - - re!
PA.
fru - ga è gonfio di ve-len!
PI.
tua sal - vez - za al - men!
-re - - na il mar!
- - re - - na il mar!
-re - - na il mar!
-re - - na il mar!
dim.
-re - - na il mar!
YY
p
ppp

animando
A TEMPO
A
_ so nascondi per pie _ tà!
Pa _ _ _ _ _
G
sia ringrazia _ to il ciel!
F
O pa _ _ tria!..
PA.
p
è............ gonfio di ve_len...
PI.
p
sia tua salvez _ za almen.
p A TEMPO
che rasse_re _ na il mar.
p
che rasse_re _ na il mar.
p
che rasse_re _ na il mar.
animando
A TEMPO
pp col canto
ppp

animando
a tempo
A
_ce! t'i_spi - - - ri, t'i_spiri un sen - so di patria ca_ri_
animando
a tempo
PIÙ ANIMATO
A
_tà. Pa - ce!
GAB.
È sal_va, è sal_va! è
accentato
FIESCO
O patria! a qual mi ser - - ba ver_go_gna il mio spe_
PAOLO
L'an - - gue che mi fru_ga
PIETRO
searches
Tut_to fal_lì!..
X PIÙ ANIMATO
mf

A
G
F
PA.
PI.
Pa - - - - - - - - - - -
sal-va, e m'a-ma! Ah! si-a ringra-
-ra - - re! sta la cit-tà, la cit-tà su-per-ba nel
gon - - fio è di ve-len, l'an-gue è gonfio di ve-
Tut-to fal-lì!.. la fu-ga si-a tua sal-
cres.
DOGE
- - - - ce!
- zia - - to il ciel!
E vo gridan - do: pa - ce! e vo gridan - do: a-
pu - gno d'un cor-sar!
- len, di ve-len.
- vez - za al - men.

A
Pa - - - - - ce! t'i_spi - - -
G
Ah!............... di - sde - - - gna, di - -
D
_mor!........ e vo gri_dan_do:a_mor!
F
Sta la cit - - tà su - - -
PA.
No, l'an_gue che mi........
PI.
Tut - - to fal - - lì la........
CORO
Vol di so - - a - - - ve............
Vol di so - - a - - ve............
Vol di so - - a - - ve...........
XX
dim.
pp
mf

A
pp
tr
-ri, t'i-spi-riun sen - - - so di pa-tria ca - - - ri- -
animando
G
pp
tr
sde-gna ogn'al-tra bra - - - ma l'a-ni-mo mio fe- -
D
F
-per - - - - ba nel pu - - gno d'un cor- -
animando
PA.
p
fru - - ga è gon-fio di ve- -
PI.
p
fu - - ga sia tua sal-vezza al -
animando
ppp
ven - - - - - to che ras-se - re - - na il
pp
ven - - - - - to il
animando
ven - - - - - to che ras - - se - - re - - - na il
tr
p
animando
ppp

A
pp
-tà.
Pa - - - - -
G
pp
-del!
È sal - - - - -
D
F
pp
-sar!
O pa - - - - -
PA.
-len...
PI.
-men...
p dolcissimo
mar, il suo commos - - - so ac - cento sa l'i - ra in noi cal - -
p dolcissimo
mar, il suo commos - - - so ac - cento sa l'i - ra in noi cal - -
p dolcissimo
mar, il suo............ commos - - - so accen - to sa l'i - ra in noi cal -
pp dolcissimo e tranquillo

A
-ce! Pa - - - -
G
-va, e m'a - - - - -
D
F
-tria! O pa - - - -
PA.
PI.
-mar, vol di so - a - - - ve vento che ras - se - - re - - na il
-mar, vol di so - a - - - ve vento che ras - se - - re - - na il
-mar, vol di............ so - a - - - - ve ven - to che ras - se - re - na il

A
_ce!
G
_ma!
sia ringra _ zia _ _ to il
D
F
_tria!
in ma _ no d'un cor _ _
PA.
è gon _ _ _ fio di ve_
swollen
PI.
sempre p
morendo
mar, che ras_se _ re _ _ na il
mar, che ras_se _ re _ _ na il
sempre p
mar, che ras_se _ re _ _ na il
mar, che ras_se _ re _ _ na il
pp
mar,
sempre p
morendo

ppp
RECIT.vo
A
ah! pa - - - ce!
G
(offrendo la spada al Doge)
ciel!..................................)
Ec - co la
D
F
-sar!..................................)
PA.
-len!..................................)
PI.
sia tua salvezza al - men.)
mar..................................
mar..................................
....che rasse-re-na il mar.
W
RECIT.vo

G
spa - da.
DOGE
Questa notte prigio_ne sarai, finchè la tra_ma tutta si scopra.
col canto
pp
G
E sia!
D
No, l'al_te_ra lama serba, non voglio che la tua paro - la.
(con forza terribile)
DOGE
f
Pao - lo!
LARGO ASSAI ♩= 63
PAOLO
(sbucando dalla folla allibito)
Mio du - ce!
LARGO ASSAI ♩= 63
ff
tutta forza
(con tremenda maestà e con violenza
DOGE sempre più formidabile)
In te risie - de l'auste_ro dritto po_po_lar.
sempre col canto

D
a tempo
È accolto l'onore cittadin nella tua fe_de:
col canto
a tempo
bra_ _mo l'au_si_lio tuo...
col canto
LARGO
BB
V'è in queste mu_ra un vil che m'o_de, e impalli_di_sce in
sempre col canto
cupo
volto;
già la mia man l'affer_ra per le chiome.

cupo
D
Io so il suo nome... è nella sua pa_u_ra...
pp
D
Tu al cospet_to del ciel e al mio co_spetto sei testi_mon.
CC
p
mf
pp
D
Sul ma_nigol_do impu_ro piombi il tuon del mio det_to:
(terribile)
f
a poco a poco string.
(cupo e terribile a Paolo)
D
Sia ma_le_det_ _ _to! e tu....ripeti il giuro.
DD
sottovoce cupo
ff
ppp
a poco a poco string.

(atterrito e tremante)
PAOLO
ff
cupo
Sia ma_le _det - - - - to... (Orrore! or_
ff
p sempre stringendo
dim.
(tutti s'allontanano a poco a poco)
AME.
f
Sia ma_le _det - - - to!!
GAB.
f
Sia ma_le _det - - - to!!
FIESCO
f
Sia ma_le _det - - - to!!
PA.
_ror!)
PIETRO
f
Sia ma_le _det - - - to!!
CORO
f
Sia ma_le _det - - - to!!
f
Sia ma_le _det - - - to!!
f
Sia ma_le _det - - - to!!
ppp
ff tutta forza

sempre più lontano
pp
A
Sia male - detto!! sia male - detto!! sia male -
G
pp
Sia male - detto!! sia male - detto!! sia male -
sempre più lontano
F
pp
Sia male - detto!! sia male - detto!! sia male -
PA.
PI.
pp
Sia male - detto!! sia male - detto!! sia male -
(allontanandosi) pp
sempre più lontano
Sia male - detto!! sia male - detto!! sia male -
pp
Sia male - detto!! sia male - detto!! sia male -
pp
Sia male - detto!! sia male - detto!! sia male -
EE
ppp a tempo

Fine dell' Atto I.

ATTO SECONDO

STANZA DEL DOGE NEL PALAZZO DUCALE IN GENOVA.

Porte laterali. Da un poggiolo si vede la città. Un tavolo; un'anfora e una tazza. - Annotta.

SCENA E DUETTO

PAOLO E FIESCO

MOLTO MENO MOSSO ♩ = 72 (solo)

PA. Me stesso ho male-

(parte)

PI. - si.

A *MOLTO MENO MOSSO* ♩ = 72

pizz brass

p *ff* *p*

PA. - detto! e l'anatema m'insegue an - cor... e

curse

f *p*

ALL°. MOSSO ♩ = 120

PA. l'aura ancor ne trema! Vili - peso... re - jetto dal Se -

Despised reject

ALL°. MOSSO ♩ = 120

brass *mf* *ppp*

PA. - nato, da Genova, qui vibro l'ultimo stral prima di fuggir; qui libro la sorte tua,

string arrow weigh

PA.
Do - - ge, in que-st'an - sia e - stre-ma. Tu, che m'of-
cres.
p
ppp
f
-fen-di e che mi devi il tro - no, qui t'ab-ban-do-no al tuo de-
p
pp
brass
mf
PIÙ LENTO = 60
(estrae un'ampolla, ne vuota il contenuto nella tazza)
-sti-no in que-st'o - ra fa-ta - - - le.
B.
PIÙ LENTO = 60
pp
pizz
cupo
Qui ti stillo u-na len - - ta, atra ago-ni - a... là t'armo un assas-
prepare
hideous
then

ALL°. MODERATO ♩= 100
PA.
-si - - - - - - no.
Scel-ga mor-te sua
ALL°. MODERATO ♩=100
vi - a fra il to-sco ed il pu-gna - - - - - le.
poison
dagger
FIESCO (Fiesco e Gabriele dalla destra, condotti da Pietro che si ritira)
ALL°. SOSTENUTO ♩= 112
Prigio-
PAOLO
Nel-le stanze del Do-ge, e favel-la a te
F
-niero in qual lo-co m'ad-du-ci?

PA.
Pao_lo.
Io so l'o_dio che ce _ la_si in te. Tu m'a_
F
I tuoi sguar_di son tru _ ci...
grim
hidden
PA.
_ scol _ ta.
Al cimento prepa _ _ ra _ sti de'Guel _ fi la
F
Che brami?
C
rebellion
PA.
schiera?
Ma va _ _ no fia tan _ to ardi_ mento!
Questo
F
Sì...
daring

PA.
Do_ge, ab_borri _ to da me quan_to voi l'abbor_ri _ te, v'appresta nuo_vo
PA.
scempio... Un ag_guato?.. Di Fie_sco la te_sta il ti_
FIESCO
Mi tendi un agguato.
f
p
PA.
_ran_no segnata non ha?... Io t'insegno vit_toria.
D
PA.
Tru_ci_dar _ lo qui, mentre e_gli
FIESCO
A qual pat _ to?

PA.
dor_me...
F
O_si a Fie_sco proporre un mi_sfatto? o_si a
ancora più piano
pp
Tu ri_fiu_ti? ri_fiu_ti?
Fie_sco proporre un mi_sfatto?
pp
p
f
Al tuo carcer ten va.
(parte; Gabriele fa per seguirlo, ma è arrestato da Paolo)
Sì.

SCENA ED ARIA

GABRIELE

G
-mon, ces - - - sa... Che fai?
(Paolo corre a chiudere la porta di destra.)
PA.
Di
A
PA.
qui o-gni var-co t'è con - teso. Ar-disci il colpo... o se-pol-tura a-
exit
closed
PA.
(parte frettoloso dalla porta di sinistra, che si chiude dietro)
-vrai fra que-ste mu - - ra.
207
GAB.
O in-fer - - no!...
Ame-lia

G
qui!... L'ama il ve_gliardo!... E il fu_ror che m'ac_cen_de m'è conte_so sfo_
p
p
G
_gar!..
Tu m'uccidesti il
B
f
G
padre... tu m'in_vo_li il mio te_soro... Tre_ma, i_
f
G
_ni_ _ _ _ _quo... già trop_pa e_ra un'of_
ff

G
-fe-sa, doppia ven-detta hai sul tuo ca-po ac-ce-sa!
♩=96
f
C ALL.o SOSTENUTO ♩=96
p
GAB. con forza
Sen - to av-vampar nel - - l'a - - - - nima fu-
G
-ren - - te — ge - - lo - - - - si - - - - - a;

G
tut - to il mio san - - gue spe - - - gne - re l'in - - -
G
cen - - - dio non po - - - tri - a;
cupo
G
s'ei mil - le vi - - - te a - ves - - - - se e
spe - - gnerle po - tes - - - - se d'un

G'
col - - - po il mi - o fu - - - - ror, no, no,........
G
.... ah! non sa - rei
ff
G
sa - - zio, non sa - rei sa - zio an - cor.
ff
G
Che par - lo!.. ahi - mè!.. de -
p
dim.
sempre più piano

LENTO
G
_li _ ro!.. Ah! io piango!.. io
D
ppp
p
LENTO
piango!.. pie _ tà,...pietà,granDi _ o,delmiomar _ ti _ ro!..
col canto
dolce
LARGO ♩= 44
con espress.
Cie _ _ lo pieto _ so,
pp
rendila, rendila a que sto co _ _ re,

G
pu_ _ra sicco _ me l'an_ _ ge_lo che ve_ _glia al suo pu_
pp
G
_do_ _re; ma se u_na nu_be im_pu_ _ra
G
tan_to candor m'o_scu_ _ra, pri_ _va di sue vir_
G
_tù, di sue vir_tù,........pri_va di sue, di sue vir_tù, che non la

sottovoce
G
veg - ga, ch'io non la veg- ga più, ... ma se una nube impu - ra tanto candor m'o -
pp
G
- scu - - ra, ah! pri - va, priva di sue, di sue vir - tù, che non la
p
ff
G
veg - - ga, ch'io non la veg-ga più, ch'io non la vegga più, pri -
G
f
pp
f
- va di sue virtù, che non la vegga, ch'io non la vegga, non la vegga più.

SCENA E DUETTO

AMELIA E GABRIELE

A
Oh cru - de - le!
Il ri - spetta...
G
- a - le!
Il ti - ran - no fe - ra - le...
E - gli
f
p
A
D'a - - mor santo...
L'a - mo del
G
t'a - ma...
E tu?..
p
A
pari...
G
E t'a - scol - - to e non t'uc - ci - do? e t'a -
A
f

A
In_fe_li_ _ _ _ ce! me!
G
_scol _ _ _ to e non t'uc_ci _ _ _ _ do?
ff
p
dim:
A
credi, pu_ra io son...
Con_
G
Fa _ vel _ _ _ _ _ _ la...
sempre
ff
ANDANTE = 92
A
_ce _ _ _ di che il se_gre_to non a_prasi an_ _ cor!
B
ANDANTE = 92
p

GAB.
con espressione
Parla, in tuo cor virgi-ne-o fe-de al di-let-to rendi.
Il tuo si-len-zio è fu-nebre vel che su me, che su me di-stendi. Dammi la
vi-ta, dammi la vita o il fe-retro, sde-gno, sde-gno la tu-a pie-tà.
pp
AME.
dolciss. cant.
p
Sgombra dal-l'al-ma il dub-bio... San-ta nel pet-to
dolce
C
ppp

dolce
A
mi - - o l'im - ma - gin tu - a s'ac - co - glie qua - le nel
A
tem - pio Iddi - - - o. No, procel - lo - sa te - - ne -
GAB.
Dammi la vita o il fe - retro,
A
- bra un ciel d'a - mor — non ha, un ciel d'amor non
G
sdegno la tua pietà.

A
ha,
G
f
dim.
pp
Dammi la vi - ta, la vita o il fe - retro, sdegno la tu - a pie -
D
p
A
ah! no, procel - lo - sa te - nebra un ciel d'amor non ha,
G
- tà, dam - mi la vi - ta, la vita o il
A
no, pro - cel - lo - sa te - ne - bra .... un ciel d'amor non
G
fe - re - tro, sdegno la tua pie - tà, la tua pie -

dolciss.
A
ha, un ciel d'amor non ha.........................
G
tà, sdegno la tua pietà, sdegno la tua pietà, sdegno la tua pietà.......
ppp
morendo
ALL.o ASSAI VIVO 𝅗𝅥 = 100
....
Il doge vien. Scampo non hai. T'a_
....
ALL.o ASSAI VIVO 𝅗𝅥 = 100
f
f
_scondi!.. Il pa_ti_bol t'a_ _ spetta!
No. Io non lo temo.
ff
f

AME.
PIÙ MOSSO 𝅗𝅥=112
E
Al_l'ora i_stes_sa teco avrò mor_te... se non ti mo_ve di me pie_
PIÙ MOSSO 𝅗𝅥=112
pp
A
GAB.
_tà.
p
cres.
ff
pp e cupo
(da sè)
Di te pie_ta_de? di te pie_ta_de?.. (Lo vuol la sor_te... si compia il
A
Ei viene...t'a_scondi... ei viene...t'a_scondi. Di me pie_
pp
G
pp
fa_to!.. E_gli mor_rà!) (Egli morrà!
pp
A
_tà, di me pie_tà. Te_co a_vrò mor_ _te, se non............. ti
G
e_gli morrà!)
F

mo - ve di me, di me pie - tà, di me pie - tà, te - co a - vrò
G
(Si compia il fa - to, e - gli mor - rà!)
A
mor - te, se non.............. ti mo - ve di me, di me pie -
G
(Si compia il
(Nasconde Gabriele sul poggiolo.)
A
- tà, di me pie - tà, di me pie - tà, di me pie - tà, ah pie - tà!
G
fa - to, e - gli mor - rà! si compia il fa - to, egli mor - rà, sì mor - rà!)
f
pp
p
47372

SCENA E TERZETTO - FINALE SECONDO

AMELIA, GABRIELE E IL DOGE

AME.
ALLEGRO
O padre! fra i Li - guri il più
D
bene, s'è de-gno di te l'e-letto del tuo co-re...
col canto
A
pro-de, il più gen-ti-le... A-dor-no...
presto
ff
D
Il noma. Il mio ne-
ALLEGRO AGITATO 𝅗𝅥=80
A
Pa - - dre!..
D
A-mi-co! Ve - - - - - di: qui
ALLEGRO AGITATO 𝅗𝅥=80
ff
p
D
scrit - - to il no-me su-o?.. Con-giu - - - - - ra co'

AME.
Ciel!.. per-do-nagli!.. Perdo-na!..
D
Guel-fi... Nol posso. Nol
cres.
A
Per-do-na!.. Con lui mor-rò...
D
pos-so. Nol posso.
ff
DOGE
L'a-mi co-tan-to?
p
AME. con espress.
L'a-mo d'ar-den-te, d'in-fi-ni-to a-mor. O al
B
pp

A
tem - pio con lui mi gui - - da, o so - - vra entrambi
ff
A
ca - - - - - - - - da,o so - vra en - tram - bi
ff
A
ca - da la scu - re del car - ne - fi - ce...
pp
C
p
(con disperazione)
DOGE
O crude - le de - sti - no! O di - le - gua - te mie spe-
p
D
- ran - ze! U - na fi - glia ri - trovo, ed un ne -
p

D
-mico a me la in - vo - la!
pp
pp
AME.
Il fi - a...
DOGE
più lento
A - scolta: s'ei ravve - duto...
Forse il perdo - no al-
D
col canto
p
A
Padre a-do - ra - to!..
D
-lor...
Ti ri - traggi...
At-tender
pp

A
Lascia ch'io ve_gli al tuo fianco...
D
qui degg'io l'au - ro_ra... No, ti ri_
Largo
(entrando a sinistra)
Pa _ dre!.. (Gran Di - o! co_me sal _ varlo?)
_traggi... Il vo_glio...
col canto
pp
DOGE ANDANTE ♩= 76
(solo)
Do _ ge! Ancor prove_
E
ANDANTE ♩= 76
staccato e p
p
_ran la tua clemenza i tra_di_tori?..
Di pa_u _ ra se_gno fora il ca_
p
col canto

parlante
(Versa dall'anfora nella tazza e beve)
D
-sti-go...
M'ardo-no le fauci...
ppp
con dolore
Perfin l'ac-qua del
ff
dim.
pp
fonte è amara al lab-bro dell'uom che re-gna!
pp
pp
F
O duol!
leggerissimo
(Siede.)
la mente è oppres - sa...
stan-che le

D
mem - bra... ohi - mè! mi
D
(s'addormenta)
vin - - - ce il son - no...
dim:
ANDANTE ♩=66
8
pp
dolcissimo
DOGE
(dormendo)
Oh A -
8
D
- me - - - lia...
8

D
oh A - me - lia... a - - - - mi un ne-
8
D
-mi - - - co!..
(Gabriele entra con precauzione, s'avvicina al Doge e lo contempla)
8
m.s.
GABRIELE
pp
Ei dorme!.. Quale sento ri - tegno?.. È reverenza o
pp
G
tema?.. Vacilla il mio vo - ler?..
G
Tu dormi, o
a tempo

185

G
ve_glio! del padre mio car_ne_fi_ce! tu mio ri_
AME.
sottovoce
Insensa_
(brandisce un pugnale e va per trafiggere il Doge)
G
_val... Figlio d'A_dorno!..la paterna ombra ti chiama vindice...
ALL? AGITATO 𝅗𝅥=76
(si pone rapidamente fra Gabriele e il Doge)
ppp
sempre con voce cupa
A
_to! Vecchio iner _ me il tuo brac _ cio col_
ALL? AGITATO 𝅗𝅥=76
f
pp
A
_pi _ _ sce? Santo, il
GAB.
con voce cupa
Tua di _ fe _ sa mio sde _ gno rac_cen _ de.

A
giu - ro,è l'amor......che ciu-ni - sce,nè........ al-le no - stre speran - ze con-
A
-tende.
Nascon - di il pu-gnale, vien... ch'ei
GAB.
Che favel-li?..
(destandosi)
DOGE
Ah!..
H
A
t'o-da...
Vien!
G
Prostrarmi al suo piede?
(dirigendosi a Gabriele)
D
Ec - co il pet - - - - -
ff

G
D
Sangue il
-to... colpi - sci, sle - a - - - - - - - - - le!
san - - - - - gue d'Adorno ti chie - - de.
E fia
ver?.. e fia ver?.. chi t'a - pri - a que - ste

AME.
Non i - o.
GAB.
Niun quest'arca - no sa - prà.
D
porte?
Il dirai fra tor-
A
Ah pie-
G
La mor - te, tuoi sup - pli - - zi non
D
-menti...
A
ff
-tà!..
G
ff
te - - - - mo.
D
Ah! quel pa - dre tu
ff
pp
p

D
ben ven_di_ca_sti, che da me con_tri_sta_to già fu... un ce-
GAB.
Suo pa_dre sei
D
_le_ste te_sor m'in_vo_la_sti... la mia fi_glia...
G
tu!.. Suo pa_dre sei tu!..
L
ff
G
tu!.. suo pa_dre!..
pp
pp

AND.te SOSTENUTO ♩=48
GAB.
con espress.
Per_don, perdon, A_me_lia. In_
AND.te SOSTENUTO ♩=48
pp
_do_mito, ge_lo_so amor fu il mio...
Do_ge, il ve_la_me squar_ciasi... un as_sas_
f
_sin, un assas_sin son i_o... Dammi la mor_te, dammi la

191
G
mor - te; il ci - glio a te non o - so, il ciglio a te non oso al-
f
G
cupo
- zar, non o - so alzar.
DOGE
M
(Degg'io salvarlo, degg'io sal-
AME.
(Ma - dre, che dal - l'em - pi - reo proteg - gi, la tua figlia,
D
- varlo? degg'io salvar - lo e
A
del... ge - ni - to - re all'a - ni - ma me - co pietà con-
D
sten - de - re la mano all'i - ni - mi - co?
47372

A
GAB. _siglia...
Ei...................... si ren_dea col_
Un as_sas_sin son
D
Sì.................... pa_ce splen _ da ai Li _ gu_ri si
N
ppp
_pe _ vo_le so _ _ _ lo per trop _ po a_
G
io, un assas_sin son
pla _ _ chi l'o _ dio an _ ti _ _ co,
_mor!
ei............ si rende_a col_
accentate
i _ o... dam_mi la mor _ te, dammi la mor _ _ te; il
si pla _ chi l'o_dio an_
f

A
G
D
_pe - vo_le so_lo per trop_po a_mor!..................
ci- - - -glio a te non o - - so, il ciglio a te non o_so al-
_ti - - co, si pla - - chi,
so_lo, so_lo per trop - po a_mor!
_zar, non o_so al_zar,
l'o_dio anti_co si pla - - chi; sia d'amistan_ze i_ta - li_che il mio se-
dolciss.
Ah! ma - dre! ah! ma - - - -
non o - so al_zar, no, no, non
_pol_cro al - - tar, sia d'amistan_ze i_ta - li_che il mio se-
con espress.

Soli
A
_ _ dre, consiglia pie _ tà, ma_dre,ma_dre,con_si_glia pie _ tà,................ me_co con_
G
o _ _ so al _ zar, il ci_glio a te non
D
_pol _ cro al _ tar, sia d'a _ mi_stan_ze i _ _
A
_si _ glia, ma _ dre, con _ si_glia pie_tà, madre,consi _ _
G
o _ so, non o _ so al _ zar, il ci_glio a
D
_ta_li_che, d'a_mi_stan _ ze i _ ta _ li _ che il mio se_pol _ cro al _
A
_glia pie_tà, ah!............. consiglia pie_tà!)
G
te non o _ so, non o_so al_zar.
D
_ tar, ah! si_a il mi_o se_polcro al_tar.)
ppp

AME.
ALLEGRO ASSAI 𝅗𝅥 = 120
Questo coro dovrà dirsi ben lontano in principio ed avanzarsi a poco a poco.
Ten.
pp
CORO INTERNO
Al _ l'ar_mi,all'ar_mi,o Li _ gu _ ri, sa _ cro do_ver v'ap_pel _ la. Scop_
Bassi
pp
Al _ l'ar_mi,all'ar_mi,o Li _ gu _ ri, sa _ cro do_ver v'ap_pel _ la. Scop_
P
pp
ALLEGRO ASSAI 𝅗𝅥 = 120
pp
(Corre alla finestra.)
A
Quai gri _ di!..
_piò dell' i _ ra il fol _ go _ re; è not _ te di pro _ cel _ la, scop
ff
_piò dell' i _ ra il fol _ go _ re; è not _ te di pro _ cel _ la, scop_
ff
ff

GAB.
I tuoi ne - mi - ci...
DOGE
Il so.
- piò dell'i - ra il fol - gor, è not - te di pro - cel - la, scop -
- piò dell'i - ra il fol - gor, è not - te di pro - cel - la, scop -
Sop.
Guer - ra! guer - ra! ster -
- piò del - l'i - ra il fol - go - re, è not - te di pro - cel - la, è
- piò del - l'i - ra il fol - go - re, è not - te di pro - cel - la, è

AME.
(Sempre alla finestra)
S'ad_den_sa il
_mi - - - - - - - - - - - nio!
not _ te di pro _ cel_ la, di pro _ cel _ - - la.
not _ te di pro _ cel_ la, di pro _ cel _ - - la.
A
po _ po_lo.
ff
(Il coro si avvicina)
Guer - - - ra!
ff
Al _ l'ar - - - mi!
Le
ff
Al _ l'ar - - - mi!
Le
ff (Trb. Trbn. interni)

DOGE (a Gabriele)
Va... T'u_ni_sci a' tuo_i...
Guel_fe spa_de cin_ga_no di ti_rannia lo spal_to; del
Guel_fe spa_de cin_ga_no di ti_rannia lo spal_to; del
GAB.
Ch'io pu_gni contro di te?.. mai più.
co_ro_na_to de_mo_ne, su,al_la magion, l'as_sal_to. Al_
ff
co_ro_na_to de_mo_ne, su,al_la magion, l'as_sal_to. Al_
ff
DOGE
Dun_que mes_sag_gio ti re_ca a lor di
_l'ar_mi, all'ar_mi, al_l'armi, sa_cro do_ver ci chiama. Scoppiò dell'i_ra il
pp
p
_l'ar_mi, all'ar_mi, al_l'armi, sa_cro do_ver ci chiama. Scoppiò dell'i_ra il

D
Sop.
pa - ce... e il so - le di do - ma - ni non sor - ga a ri - schia -
Guer - ra! guer - ra! ster - mi - - -
fol - go - re; è not - te di pro - cel - la, è not - te di pro -
fol - go - re; è not - te di pro - cel - la, è not - te di pro -
GAB.
Te - co a pu -
D
- rar fra - ter - ne stra - - gi.
- - - - - nio!
- cel - la, di pro - cel - - - la. Al - l'armi! al - l'armi! al -
- cel - la, di pro - cel - - la. Al - l'armi! al - l'ar - mi!
R

G
-gnar ri - tor-no, se la clemen-za tua non li di -
Guer - ra! guer - ra! ster - mi - nio! ven-
-l'armi! al - l'armi! Sa - cro do - ver, sa-cro do - ver v'ap - -
al-l'armi! al-l'armi! Sa - cro do - ver, sa-cro do - ver v'ap - -
ff
G
-sar-mi.
(accennando Amelia)
DOGE
Sa - rà co - stei tuo pre - mio.
-det-ta!
-pel-la, al - l'armi! al - l'armi! al - l'ar-mi! al - l'ar-mi!
-pel-la, al-l'armi! al-l'ar-mi! al-l'ar-mi! al-l'ar-mi!

AME.
Oh! i-na-spet-ta-ta gio - - ia!
GAB.
Oh! i-na-spet-ta-ta gio - - ia!
ff
Guer - ra! guer - ra! ster-mi - nio! ven-det-ta!
ff
stringendo
Sa - cro do - ver, sa-cro do - ver v'ap - pel-la! Al - l'armi! al -
ff
S Sa - cro do - ver, sa-cro do - ver v'ap - pel-la! Al - l'armi! al -
ff
stringendo
A
Pa - - - - - -
G
Al - l'ar - - - - - -
DOGE
Al - l'ar - - - - - -
ff
Ah!
- l'armi! al - l'armi! al - l'ar - - - - - - - -
ff
ff
- l'armi! al - l'armi! al - l'ar - - - - - - - -
ff
ff

Fine dell'Atto II.

ATTO TERZO

INTERNO DEL PALAZZO DUCALE.

Di prospetto grandi aperture, dalle quali si scorgerà Genova illuminata a festa: in fondo il mare.

A
mf
p
cres.
B
ff

Sop.
CORO INTERNO
Evvi - va il Do - - -
Ten.
Evvi - va il Do - - -
Bassi
Evvi - va il Do - - -
(Prontamente s'alza il sipario)
- ge! vit - to - ria! vit - to - - - ria!
- ge! vit - to - ria! vit - to - - - ria!
- ge! vit - to - ria! vit - to - - - ria!
ff

C LO STESSO MOVIMENTO
CAPITANO DEI BALESTRIERI (rimettendo a Fiesco la sua spada)
Li-be-ro sei. Ec - - co la spa-da.
C
Scon-fit - - ti.
FIESCO
E i Guel-fi? O tri - ste li - ber-
MENO MOSSO ♩= 88
(Entra Paolo in mezzo a quattro guardie)(a Paolo)
F
-tà! Che?.. Pao - lo?! do-ve sei
MENO MOSSO ♩= 88
pp

PAOLO (arrestandosi)
All'e_stre _ mo sup _ pli _ zio. Il mio de _ mo _ nio mi cacciò fra
F
tratto?
taken
marcato
PA.
l'ar_mi dei ri_vol _ to_si e là fui côl _ to: ed
rebels
PA.
o_ra mi condanna Si_mon; ma da me pri_ma fu il Boc _ ca _
PA.
_ne _ gra con _ dan _ na _ to a mor _ _ _ te.
FIE.
Che vuoi dir?

PAOLO
cupo
Un ve - len... (più nulla io temo) gli di - vo - - ra - la
D
devours
ppp
p
POCO PIÙ LENTO ♩=80
cupo
poco rall°
PA.
vi-ta. Ei for - - se già mi pre-ce-de
FIE.
(a Paolo)
In-fa-me!
POCO PIÙ LENTO ♩=80
poco rall°
ff
ppp
morendo
PA.
nel-l'a - - vel! Ah! or-ro-re!
S.
(to death)
CORO INTERNO
Dal som-mo del-le sfe - - - re pro -
C.
Dal som-mo del-le sfe - - - re pro -
E
morendo

parlante
PA.
Quel canto nu_zï_al, che mi per_se_gue, l'o_di?... in quel
_teg_gi_li, Si_gnor; di pa_ce sien fo_
_teg_gi_li, Si_gnor; di pa_ce sien fo_
PA.
tem_pio Gabri_e_le A_dorno sposa co_lei ch'io trafu_gava...
FIE.
Ame_lia?! tu
_rie_re le noz_ze del_l'a_mor, di
_rie_re le noz_ze del_l'a_mor, di

PA.
F
(sguainando la spada)
Fe - risci.
(trattenendo il moto)
fosti il ra-pi-tor?! Mostro!! Non lo spe - rar; sei
pa - ce sien fo - rie - re le noz - ze del - l'a - mor. Dal -
pa - ce sien fo - rie - re le noz - ze del - l'a - mor. Dal -
(ascoltando il coro interno)
(Le guardie trascinano Paolo
Or - rore! or - ror!
END
sacro al - la bi - penne.
poco allarg.
-l'alto del - le sfe - re pro - teg - gi - li, Si - gnor!
-l'alto del - le sfe - re pro - teg - gi - li, Si - gnor!
F COME PRIMA
f
poco allarg.

FIE.
I-norri - di - sco!
F
No, Simon, non questa vendetta chie-si; d'altra me-ta degno e-ra il tuo
fa-to. Ec-co-lo... il Doge. Al-fine è giunta
(Si ritira in un angolo d'ombra.)
l'o-ra di tro-var-ci a fron- - te!
p
pp

MODERATO ♩= 92
(Entra il capitano con un trombettiere.)
G
p espress.
(Tromba sul palco)
CAPITANO (al balcone, parlando al popolo)
Cit_ta_di_ni! per or_di_ne del Do_ge s'estinguano le fa_ _ci
col canto
C
lunga
e non s'offen_da col clamor del tri_on_fo i pro_di e_stin_ _ _ _ ti.
(Il capitano s'allontana seguito dal trombettiere)
H
f
ppp

DOGE (entra)
lungo silenzio
lungo silenzio
M'ardon le
D
tempia...
u_n'a_tra vampa
D
sento serpeggiar per le ve_ne!
D
Ah! ch'io re_spi_ri l'au_ra be_a_ta del li_be_ro cie_lo.

MODERATO ♩= 84
pp
pp
DOGE
p
Oh re - fri - ge - rio!.. la ma - ri - na brez - za!..
LO STESSO MOVIMENTO ♪= 84
D
Il ma - - - - - - - re!.. il ma - - - - - -
LO STESSO MOVIMENTO
pp
- re!.. qua - le in ri - mi - rar - lo di
pp
glo - rie e di su - bli - mi ra - pi - men - ti mi s'affac - - cian ri -

D
_cor_di!..
Il mar!.. il
cres.
mar!..
ah......... per _ chè,......... per _ chè in suo
f
grem _ _bo non tro _ vai la tom _ _ _ _
p
ppp
pp
ALLº. MODERATO ♩= 100
_ba?
Chi o_sò i_nol_trarsi?..
FIESCO (avvicinandosi gli)
E _ ra me_glio per te!
Chi te non te_me...
L
f
pp

(verso la destra, chiamando)
D
Guardie?
accel.
F
Invan le ap_pel_li... non son qui sgherri tuoi. M'ucci_de_rai, ma pria
pp
col canto
D
Che vuoi?
LARGO ♩ = 60
F
m'o_di...
M LARGO ♩ = 60
Del_le
p staccate e leggerissime
F
fa_ci festan_ti al bar_lu_me ci_fre ar
F
_ca_ne, fu_ne_bri ve_dra_i... tua sen_

F
-ten - - za la ma - - no del nu - - - - - - me so - vra
F
que - - - - ste pa - re - - - - - - ti ver - -
F
- gò. Di tua stel - - la s'e - clis - - sa - no i
F
ra - - - - i: la tua por - - po - ra in bra - - ni già

F
ca - - - - - de; vin - ci - tor tra le lar - - ve mor -
- rai, tra le lar - - - ve mor - rai.............................. cu - i la
ff
DOGE
(I lumi cominciano a spegnersi nella piazza, per modo che allo spirare del Doge non ne arderà più alcuno.)
Qua - le ac -
tomba, la tom - ba tua scure ne - gò.
N
pp
- cen - - to?
Lo u - di - - - sti u - n'al - - - tra

D
Fia ver?.. Ri-
F
vol - ta.
D
-sor - gon dal-le tom - be i mor - ti?
F
Non mi rav-vi-si
D
Fie - sco!..
F
tu?
Si - mo-ne, i mor-ti ti sa-
D
Gran Di-o!..compito è al-fin di quest'alma il de - si - o!
F
-lu - tano!

ALLEGRO ASSAI 𝅗𝅥. = 80

FIESCO

ALLEGRO ASSAI 𝅗𝅥. = 80

Co - - - - me un fan - ta - si - ma

pp

f *pp*

F

Fie - - - - sco t'ap - par, an - ti - co ol - traggio, an - ti - co ol-

f

DOGE

Di pa - - ce nun - -

F

D
FIESCO
_zio........ Fie _ sco sa_rà...
Co _ _ meun fan_
pp
F
_ta_si_ma
Fie _ _ sco t'ap _ par,
f
pp
F
an _ ti _ co ol _ traggio,an _ ti_cool_trag_gio a ven _ di _ car.
ff
DOGE
Sug _ gel _ laun an _ ge_lo no _ stra a_mi_stà.
F
Che
P
pp
p

D
Un tempo il tuo perdon m'of_fri_sti... Se a te l'orfa_
F
di_ci? I_o?
D
_nel_la con_ce_de_a che per_du_ta per sem_pre al_lor pian_ge_a.
pp
D
In A_me_ _ _lia Gri_mal_ _ _di a me
D
ff
fu re_ _ _ _ _ _sa, e il no_me por_ta del_la
f
p

D
ma - - - dre e_stin_ta.
FIESCO
Ciel!.. per_chè mi splen -
Q
ff
p
F
- - - - de il ver sì tardi? per_chê mi
ff
p
F
splen - de il ver sì tardi?
R
p
DOGE
Tu piangi!.. tu pian_gi!..

con passione
D
Ah!...............
dim.
.... per - chè.......................... vol - gi al - tro - ve il ci - glio?
Tu piangi!..
rall.
tu pian - gi!..
LARGO ♩ = 48
FIESCO
p con espressione
Pian - go, perchè mi
S LARGO ♩ = 48
pp

F
par _ la in te del ciel... la... vo _ ce;
sen _ to rampo_gna atro _ ce, sen _ to rampo _ gna a_
_tro _ ce fin nel_la tu_a pie _ tà, sen _ to rampo _ gna a_
DOGE
dim.
pp
Vien,.... ch'io ti.... strin_ga al
_troce fin nel _ la tua, nel_la tua pie_tà.

D
pet - - to,o pa - dre di Ma - ri - a; bal - samo al - l'al - ma
D
mi - - a il tuo perdon sa - rà. Vie - ni, vie -
FIESCO
Pian - go, pian - go,
dolcissimo
D
- ni, vien,.............. ch'io ti strin - ga al pet - to, o................ pa - dre di Ma -
F
perchè mi par - - - la in te del cie - - -
T

animando
D
F
_ri _ a;
bal_samo all'al _ _ ma
_lo, in te del ciel............. la vo _ ce;sen_to ram_po _ gna a _
animando
mi _ a, bal _ sa_mo al_l'al _ ma mi_a il tuo per _
_tro _ _ _ _ _ _ _ ce fin nel _ la
f
ppp
_don, il... tuo perdon sa_rà.
tua, fin nel_la tua pie_tà. Ohimè! morte so _
mf

F
_vrasta... un tra_di_to - re il ve_len.... t'ap_pre_
DOGE
Tutto fa_vella, il sento, in me d'e_ter_ni_
F
_stò.
cres.
D
_tà... Ella vien! Taci, non dir_le... Anco una
F
Cru_de_le fa_to! Mari_a...
pp
(s'abbandona sopra una sedia)
(Amelia e Gabriele: li seguono Dame, Gentiluomini, Senatori, ecc. ecc. Paggi con torce.
D
vol_ta vo'............ be_ne_dir - - - - la.
F
Cru_de_le fa - to!
pp

ppp
AMELIA
(vedendo Fiesco)
(a Fiesco)
Chi veggo!..
Tu qui?
GABRIELE
(Fiesco!)
DOGE
ALLEGRO
Vien...
De_po_ni la me_ra_
a tempo
D
_viglia. In Fiesco il pa_dre ve_di dell'i_gno_ta Ma_ri _ a, che ti die'
p a tempo
AME.
E_gli?..fia ver?..
Oh gioia! Al_lo_ra gli odi fu_ne_sti han
D
vi _ ta.
FIESCO
Mari _ a!..
f

ALL.° MODERATO
A
fi _ ne... (grave)
Qual fe_ra _ le pen_
DOGE
Tut_to fi _ ni _ sce,o fi_glia!
ALL.° MODERATO
pp
MODERATO 𝅗𝅥 = 52
A
_sier t'attrista sì sere_ni i_stan_ti?
D
𝅗𝅥 = 52
MODERATO
Maria, coraggio...
pp
A
Quali ac_cen_ti!.. oh ter _ ror!
GAB.
Quali ac_cen_ti!.. oh ter _ ror!
D
A gran do_lor t'ap_presta...

(sorpresa generale)
A
Che par_li?..
G
Che par_li?..
D
pp
cres.
Per me l'estre_ma o_ra suo_nò!
Ma... l'E_terno in tue
pp
(Maria e Gabriele ca_dono a pie' del Doge.)
Possi_bil fi_a?..
Possi_bil fi_a?..
brac_cia, o Ma_ri_a, mi con_cedea spi_rar...
ff
p
(Il Doge sorge, ed imponendo sul loro capo le mani, solleva gli occhi al cielo e dice:)
rall.

AND.te SOST.to ASSAI ♩=62
DOGE
pp
Z
Gran Dio, li be_ne_di_ci pie_to_so dall'em_pi_ro; a lor del mio mar_
AND.te ♩=62 SOST.to ASSAI
pp
D
_ti_ _ _ ro can_gia le spi_ne, le spi_ne........ in fior.
mf
morendo
AMELIA
No, non morrai, l'a_mo_ _ _ re... vin_ca di mor_te... il
pp
A
ge_lo,
GAB.
Y
O padre, o pa_dre il se_no fu_ria mi squar_cia, mi squar_cia a_
p

A
ri - sponderà dal cie - - - - lo pie-ta - de, pieta-de al mio do-
G
-troce...
pp
A
-lo - re.
G
Co - me passò ve - lo - ce l'o - ra del lie - to, del lie - to a - mor!
dim.
DOGE
ppp
Gran Dio, li
pp
D
be - ne - di - ci pieto - so dall'em - pi - ro.
FIESCO
solenne
YY
O-gni le-ti - - zia in
p

straziante
AMELIA
Non mor_rai.
GAB.
Non mor_rai.
F
ter_ra è men_zogne_ _ro in_canto, d'inter_mi_na_ _to
A
Non mor_rai.
G
Non mor_rai.
DOGE
T'ap_pressa, o fi_glia... io
F
pian_ _to fon_te è l'u_ma_no cor.

A
G
D
F
Non... morrai, no, non mor-
Non... morrai, no, non mor-
spiro... stringi... il mo-rente... il moren - te al cor!
Fon - - te di pianto è l'uma-no
m.s.
-rai.
-rai.
T'ap-pressa, o fi - glia, io spi-ro... stringi il mo-rente, il moren - te al
cor.

piangente
A
Ah!.. no,...... no,........ non........ mor_ _
G
Co_me pas _ sò .... pas_sò ve_
D
cor!...
F
O_gni le_ti_zia,
le_tizia interra
Sop. I.
estremamente ppp
Si av_vol _ _ _ ge la na_
Sop. II.
ppp
Si av_vol _ _ _ ge la na_
CORO
Ten.
ppp
Sì, piange, è ver, sì, piange, è
Bassi
ppp
Sì, piange, è ver, sì, piange, è
X
pppp

A
_rai, vin _ _ _ _ _ _ _ _ ca........ di........ mor _ te il
G
_lo _ ce l'o_ra del lie _ to, del lie_to a_
D
Fi _ _ glia!
F
è menzognero, è menzo_gnero,
_tu _ ra in man _ _ _ to di do_
_tu _ ra in man _ _ _ to di do_
ver, piange o _ gnor la cre_a_
ver, piange o _ gnor la cre_a_

A
ge - - - - - - - - lo, ri - spon - de -
G
- mor! co - - me pas - -
D
t'ap - pres - sa,o fi - glia...
F
è menzogne - - ro in - can - - to, d'inter - mi-na - to
- lor! s'av - - - - -
- lor!.. s'av - - - - -
- tu - ra; s'av - - - - -
- tu - ra; s'av - - vol - - ge la na - -
8
cres.

A
- - - - rà dal cie - - lo pie-ta - - - de al
G
- sò,... pas - - sò ve - lo - ce, ve-lo - - - ce
D
t'appres - - sa, o fi - glia... stringi il mo-
F
pian - - - to fon - te è l'u-ma - no, l'u-ma - - - no
- vol - ge.... la na - tu - ra, s'avvol - - ge in
- vol - ge.... la na - tu - ra, s'avvol - - ge in
- vol - - - ge la na - tu - ra, s'avvol - - ge in
- tu - - - ra, la na - tu - ra, s'avvol - - ge in
cres. sempre

A
mi - o, al mio do - lor, ah!
G
l'o - ra del lie - - to a - mor! co - me pas -
D
- ren - te, il moren - - te al cor!
F
cor, l'uma - - no cor, o - gni le - ti - zia,
man - to di do - lor, si av -
man - to di do - lor, si av -
man - to di do - lor, sì, piange, è
man - to di do - lor, sì, piange, è

A
.... no, ... no, ... non ..... mor - rai, vin - - - - - - -
G
- sò, ... pas - sò ve - lo - ce l'o - ra del
D
F
le - tizia in terra è menzognero,
- vol - - ge la na - tu - ra in
- vol - - ge la na - tu - ra in
ver, sì, piange, è ver, piange o -
ver, sì, piange, è ver, piange o -

A
- ca........ di........... mor - te il ge - - - - - - - -
G
lie - to, del lie-to a - mor!
D
fi - - glia! t'ap - pres - sa, o
F
è menzo-gnero, è menzogne - ro in-
man - - - to di do - lor,
man - - - to di do - lor,
- gnor la cre-a - tu - ra,
- gnor la cre-a - tu - ra, s'av - -
cres.

A
_ _ lo, ri _ spon _ de _ _ _ _ _ _ rà dal
G
co _ me pas _ _ so, pas _ sò ve _
D
fi _ glia... t'appres _ _ sa, o
F
_ can _ to; d'inter _ mi_na _ to pian _ _ to fon _ te è l'u _
s'av _ _ _ _ _ _ vol _ ge la na _
.... s'av _ _ _ _ _ _ vol _ ge la na _
s'av _ _ _ _ _ _ vol _ _ _ ge la na _
_ vol _ ge la na _ _ tu _ _ _ ra, la na _
8
cres. sempre

A
G
D
F
ff
ppp
pausa lunga
cie - lo pie-ta - - de al mi - o, al mio do - lor.
- lo - ce, ve-lo - - ce l'o - ra del lie - - to a-mor!
fi - glia...stringi il mo-ren - te, il moren - - te al cor! Sena-
-ma - no, l'u-ma - - no cor, l'uma - - no cor.
- tu - ra, s'avvol - - ge in man - to di do - lor!
- tu - ra, s'avvol - - ge in man - to di do - lor!
- tu - ra, s'avvol - - ge in man - to di do - lor!
- tu - ra, s'avvol - - ge in man - to di do - lor!
8
W
f
pp
col canto

DOGE
(i Senatori s'appressano)
_to _ ri! san_ci _te il vo_to e _ stre _ mo. Que_sto ser _ to du _
D
sempre dim.
_cal la fronte cin_ga di Gabri_e_le A_dor_no. Tu, Fiesco, compi il mio vo_
(con voce quasi spenta egli vorrebbe parlare e non può; stende le mani di nuovo sul capo dei figli e muore)
D
_ler... Ma_ri _a!!!
AA
ppp corda sola
AMELIA (S'inginocchiano davanti al cadavere.)
Pa_dre!.. pa _ _ dre!
GAB.
Pa_dre!.. pa _ _ dre!
FIESCO (Si dirige al balcone, seguito da senatori e paggi che alzan le faci accese.)
Ge_no _ ve_si!.. In Ga_bri_e _ le A_
8

47372

F
- dorno il vostro doge or accla - mate.
È mor - to ...
pa - ce per lui pre -
Sop.
(dalla piazza)
CORO
No...Bocca - negra!!!
Bassi
(dalla piazza)
No...Bocca - negra!!!
8
BB
ppp
F
- ga - te!..
Sop.
(Tutti s'inginocchiano)
ppp
Pace per lui! pace per lui!
Ten.
ppp
Pace per lui! pace per lui!
Bassi
ppp
Pace per lui! pace per lui!
pp
f
ppp
f
ppp
Campana
Fine dell'Opera